AFGESCHREVEN

MEDIË

Het Assyrische rijk

PERZIË

GROTE ZEE

JUDA

PERZISCHE GOLF

EGYPTE

RODE ZEE

De leeuw van Lakis

De leeuw van Lakis *Stephen D. Teeuwen*

Met illustraties van Roelof van der Schans

STICHTING NEDERLANDSE
KINDERJURY
2009

De leeuw van Lakis
Stephen D. Teeuwen

ISBN 978-90-8543-092-6
NUR 283, 284

Ontwerp omslag: BEEEP, grafisch ontwerp bno
Illustraties omslag en binnenwerk: Roelof van der Schans
Opmaak binnenwerk en illustratie kaartwerk: Gerard de Groot

© tekst Stephen D. Teeuwen
© 2008 UITGEVERIJ COLUMBUS - HEERENVEEN
Alle rechten voorbehouden.

Uitgeverij Columbus is onderdeel van Uitgeversgroep Jongbloed te Heerenveen

www.jongbloed.com

Inhoud

Hoofdpersonen

Adalja: Jonge vrouw uit Lakis, getrouwd met Uzi, een aanvoer- der in het leger. Adalja komt van oorsprong uit een andere stad, Maresa, waar haar ouders nog steeds wonen. Zij en Uzi hebben net hun eerste kind gekre- gen, het jongetje Ronen.

Akila: Egyptisch slavinnetje dat een jaar voordat dit verhaal begint is geschonken aan Barak, de opperbevelhebber van het garnizoen van Lakis in Juda, en zijn vrouw Noa. Barak en Noa hebben geen eigen kinderen en hebben Akila als dochter aangenomen.

Barak: Opperbevelhebber van het garnizoen van Lakis, (pleeg)- vader van Akila, getrouwd met Noa. Een ervaren en geharde strijder en leider.

Harad: Soldaat in het leger van Lakis, vriend van Uzi.

Hizkia: Koning van Juda. Hij woont in de hoofdstad Jeruzalem.

Itai: Judese jongen die zijn hele leven al in Lakis woont. Zijn vader is Jatsar, de pottenbakker; zijn moeder heet Sjamira. Hij heeft één broertje, El-Natan.

Motsa & Rachel: Ouders van Adalja. Ze wonen in Maresa.

Noa: Vrouw van Barak, (pleeg)moeder van Akila.

Omets: Jongen uit Maresa die zich later in het verhaal bij Akila, Itai en de anderen voegt.

Sanherib: Koning van Assyrië. Hij komt Juda een lesje leren omdat Juda's koning, Hizkia, geweigerd heeft belasting aan hem te betalen.

Uzi: Man van Adalja, aanvoerder in het leger van Lakis. Hij heeft als bijnaam 'leeuw van Lakis', een titel die de jonge Itai natuurlijk ook wel graag zou willen hebben.

Inleiding

Het is het jaar 701 vóór Christus, maar dat weet natuurlijk nog niemand: in Juda, het landje waar dit verhaal zich afspeelt, spreken ze van 'het veertiende jaar van koning Hizkia'. Hizkia is de koning van Juda en in deze tijd van de geschiedenis heeft elke koning niet alleen een eigen paleis en een heleboel eigen personeel, maar ook een eigen jaartelling.

Juda is maar een klein koninkrijkje – nog kleiner dan Nederland nu. Het wordt omringd door zee, woestijn en machtige vijanden. Als je er op de vleugels van een adelaar overheen kon zweven, zou het eruitzien als een reusachtige trap, ruw in de bergen uitgehakt. Van de kustvlakte in het westen klimt de trap omhoog naar een rotsig gebergte in het midden en aan de oostzijde duikt ze steil omlaag, om daar te verzanden in een uitgestrekte woestijn. Midden in Juda, bovenop de bergen, ligt de hoofdstad Jeruzalem, hoog als een adelaarsnest op de rotsen.

In het westen de zee, in het oosten de woestijn, in het hart een stad als een adelaarsnest. En in het noorden en zuiden dan? Precies: vijanden! Machtige koninkrijken. Heersers die op elkaar loeren en die ook dat nestje in de bergen maar al te graag willen leegroven. Want Juda is een mooi en vruchtbaar land. Er groeien sierlijke dadelpalmen en wijnranken, je hebt er glooiende graan-akkers en komkommervelden, grazige weiden en klaterende beek-jes. En wat belangrijker is: de grote handelskaravanen komen ieder jaar vlak langs Juda. Uit het zuiden brengen ze goud, koper, ivoor of het zwart-glimmende ebbenhout uit Ethiopië – nog zwarter en glimmender dan de Ethiopiërs zelf. En uit het noorden rode en groene edelstenen, ijzeren gebruiksvoorwerpen, geurende houtsoorten en specerijen. Kortom, als je de meeste en de mooiste spullen wilt hebben – en dat willen veel heersers nu eenmaal vaak – dan is Juda dé plek om te veroveren.

Wie de grootste is van al die heerszuchtige buurlanden? Geen twijfel: Assyrië. In de tijd waarin dit verhaal zich afspeelt, is Assyrië zelfs het grootste en machtigste rijk van de hele wereld. Het is beroemd en berucht om de angstaanjagende oorlogswapens die er worden gebouwd; je zult ze in dit verhaal tegenkomen. Beroemd en berucht om de heerszuchtige koning, Sanherib, die altijd op de loer ligt, altijd op zoek naar meer land, meer macht, meer rijkdom. Meer slaven. Meer onderdanen.

Sanherib heeft alle reden om met zijn legermacht een bezoekje te brengen aan Juda, want Hizkia, de koning van Juda, komt zijn afspraken niet na. In het verleden heeft Assyrië de Judeeërs geholpen om andere vijanden op afstand te houden en in ruil daarvoor beloofde de koning van Juda elk jaar belasting te betalen aan Assyrië. Maar Hizkia heeft die afspraak aan zijn koninklijke laars gelapt. Hij weigert belasting te betalen aan Sanherib. En Sanherib is boos.

Maar als de koning van Assyrië de Judeeërs wil aanpakken, moet hij een machtig leger bezitten, want bergland veroveren is geen makkelijk klusje. Als de verdedigers snel en slim zijn, kunnen ze met weinig man een grote legermacht tegenhouden in de nauwe bergpassen. En als ze kalm blijven en genoeg voorraden hebben, houden ze het lang vol in hun ommuurde vestingsteden. Ja, de Assyriërs zijn wel machtig, maar het is hen nog nooit gelukt Juda te veroveren of de hoofdstad Jeruzalem te plunderen. Juda zit als een boogschutter op een hoge toren, als een adelaar op zijn nest.

Minder hoog gelegen maar net zo stevig ommuurd als Jeruzalem is de vestingstad Lakis. Lakis is de tweede stad van Juda, een fiere garnizoensstad in het zuidoosten van het land. Als je op een heldere dag op de muren van Lakis staat, kun je niet alleen de hele Sjefela-streek overzien, het heuvelland tussen kust en bergen, maar ook de hele westelijke verdedigingslinie – van het noordoostelijk bergland via de voetheuvels naar de kustvlakte, tot aan de gekloofde Negevwoestijn in het verre zuiden, waarachter Egypte ligt. Als Sanherib Jeruzalem wil bereiken en het adelaarsnest wil leegroven, zal hij eerst Lakis moeten overmeesteren, en Azeka en Libna en nog een hele reeks kleinere stadjes en wachtposten. Zou de Assyriër dat kunnen? Veel inwoners van Lakis denken van niet. Ze voelen zich in hun ommuurde stad met de dubbele poort haast net zo veilig als de inwoners van Jeruzalem.

En dat is hun grootste vergissing.

HOOFDSTUK 1

Oorlogje spelen met sprinkhanen

Met haastige passen en een tevreden grijns op zijn gezicht loopt Itai door de hoofdstraat van Lakis. Zijn strooptocht in het veld is niet voor niks geweest. In een aarden potje dat hij onder zijn linker arm draagt, zitten de gevangenen die hij veroverd heeft. Tik-tiktik-tik, zzzbzzbzzbzz! Met genoegen hoort hij hun protestgeluiden. In het laatste zijstraatje naar zijn huis zet hij het op een rennen: tijd om de gevangen sprinkhanen aan het werk te zetten!

Op het erfje naast hun huis zet hij de buit voorzichtig neer. Tik-tik-tikketik, zzzbzzbzzbzz! Uit zijn gordeltasje vist hij drie ruwe stenen en legt die ernaast.

'Ben jij dat, Itai?' Hij hoort zijn moeder binnen roepen.

'Ja!'

'Waar ben je zo lang geweest, jongen?' Ze steekt haar hoofd door de deuropening naar buiten. 'Heeft je vader al met je gesproken?'

Wat bedoelt ze? 'Nee, ik was buiten', zegt Itai. 'Waar moet vader me over spreken dan? Over wat ik vanmiddag in de werkplaats moet doen zeker?'

'Je hoort het zo wel als hij komt', zegt moeder. 'Ga maar spelen nu je nog tijd hebt.' Ze is alweer naar binnen.

Itai moet zo aan het werk in vaders pottenbakkerij. Opschieten dus. Hij gaat op de grond zitten. Met hand en oog zoekt hij langs de rand van zijn tuniek naar een los draadje. Ah, hebbes, een mooie lange. Hij werkt het dunne draadje van geitenwol los zonder het te scheuren – hoe langer hoe beter. Als het bijna zo lang is als zijn arm breekt hij het af. Dan pakt hij het in beide handen en breekt er éénderde af, en nog éénderde. Hij legt de drie stukken keurig naast elkaar op de grond. De droge, kalkachtige aarde voelt warm aan. Het is hier altijd warm. Buiten op het veld voel je tenminste nog de bries in je haar en op je gezicht; hier prikt de zon in je huid en ketst het stekende licht van leem en steen af in je ogen. Snel nu. Hij pakt het meest linkse draadje, knoopt een van de uiteinden stevig vast aan een steen en legt het weer neer. Met de andere twee doet hij hetzelfde. Dit wordt lachen. Oorlogje spelen was nog nooit zo leuk. Eigenlijk zou er iemand bij moeten zijn.

'Ima – mama!' roept hij in de richting van de donkere deuropening. 'Waar is El-Natan?'

Binnen hoort hij moeder met een hoog stemmetje: 'Toe maar, ga maar kijken waar je grote broer is. Ga maar naar Itai!' In de deuropening verschijnt zijn broertje op wankele beentjes. Hij glundert bij het zien van Itai.

'Sjalom El-Natan!' zegt Itai. 'Kom gauw kijken wat Itai heeft. Nee, niet aankomen, ga maar zitten, hier.' Hij sjort El-Natan aan zijn armpje zodat hij op de goeie plek neerploft, niet te dicht bij de spullen. Dan pakt Itai het potje op. Hij houdt het even voor El-Natans gezichtje. 'Hoor je dat?' Het tikken en snerpen gaat onverminderd door. 'En nu opletten! Ik ga deze sprinkhanen leren om stenen de lucht in te slingeren.' Hij knipoogt naar zijn broertje. 'Dan kunnen ze ons helpen als we oorlog moeten voeren tegen de Assyriërs.'

'Atta!' gilt El-Natan opeens verrukt. Hun vader verschijnt om de hoek van het erf.

Dit komt mooi uit. 'Abba, u moet me helpen', zegt Itai meteen. 'Ik heb een extra stel handen nodig om een knoop te leggen.'

'Sjalom jeladiem! Dag jongens!' zegt vader en hij schept El-Natan met twee handen de lucht in tot vlak voor zijn ogen. De peuter slaakt een kreet van verrukking en zijn vingertjes grijpen meteen naar vaders baard. 'Atta! Atta!'

'Abba, helpt u even', zegt Itai. 'Anders lukt het niet. Komt u? Het is maar heel even. Kijk eens!' Hij houdt een van de sprinkhanen in de lucht voor zijn vader.

'Wat is die gekke broer van je nu toch weer aan het doen, El-Natan?' zegt vader, terwijl hij de peuter op zijn nek zet en naast Itai neerhurkt.

'Kijk, u hoeft alleen maar even dit draadje om een van de achterpoten te knopen,' gaat Itai verder, 'terwijl ik hem vast houd. Snel.'

'Wat ben je van pl... Ah!' Vader buldert van het lachen. Hij zet El-Natan op de grond. 'We gaan een leger formeren! Itai de bevelhebber stelt zijn slingeraars in slagorde op. Even op ima wachten. Sjamira! Kom vlug, je zoon brengt een leger op de been waar al onze vijanden van zullen sidderen!'

Vader loopt naar binnen. Zucht. Nu wordt de exercitie weer uitgesteld, want ima en abba moeten natuurlijk eerst weer ergens over praten. Altijd dat praten van die ouders; als het aan hen ligt, gebeurt er nooit wat!

Dan komen ze beiden naar buiten. Moeder geeft El-Natan een aai over de bol en bukt naar Itai toe.

'Wat heb je daar?' Ze slaakt een speelse kreet. 'Nee, hè! Dat beest wil ik niet in huis hebben! Itai!'

Hij kijkt haar trots aan. 'Moet u opletten, ik ga hem opleiden tot slingeraar. Abba, hier.' Hij geeft het touwtje waar de steen aan vast zit aan zijn vader en houdt de sprinkhaan ondersteboven zodat de achterpoten omhoog steken. 'Voorzichtig dat u zijn poten niet breekt.'

Voorover gebogen wendt moeder haar blik van de sprinkhaan naar vader. 'Heb je 't er al met Itai over gehad?'

Begint ze weer, denkt Itai. Het moet wel belangrijk zijn. 'Wat is er toch? Waarover met mij gehad? Is er iets? Wat is er dan, ima?'

'*Oi na'ar* – jongen toch!' Ze legt een hand onder zijn kin. 'Je bent net een levende waterval, jij. *Pakapakapaka*. Altijd stromen je vragen door.'

'Als we nou eerst onze slingeraar bewapenen en daarna verder praten', zegt vader. 'Anders verliezen we de oorlog op voorhand.'
Maar nu wil Itai het weten ook. 'Wat is er dan? Vertel het me eerst. Hier, ik hou het touwtje wel weer vast.' Hij neemt het touwtje en het steentje terug en kijkt zijn ouders aan. Nu moeten ze wel uitleg geven.
Moeder kijkt opzij naar vader. 'Okee, jongen.' Ze zucht. 'Je gaat een paar dagen weg uit Lakis.'
Itai fronst zijn wenkbrauwen. 'Weg? Hoezo? Waarheen? Waarom?'
'De olijvenoogst is groter dan anders en in Maresa hebben ze alles nog lang niet binnen', vervolgt moeder.
'De olijvenoogst in Maresa? Wat heeft dat met mij te maken? Ik wil helemaal niet weg uit Lakis!' Hij twijfelt. Een reisje naar Maresa is leuk, maar waarom nu? Net als het spannend wordt in Lakis! Hij denkt aan alle dingen die hij de laatste weken gehoord heeft. Over de Assyriërs die in opmars zijn onder aanvoering van de beruchte Sanherib. Over het feit dat ze misschien een aanval op Juda gaan uitvoeren omdat Juda geweigerd heeft belasting te betalen. 'Ik heb helemaal geen zin om weg te gaan voor een of ander saai karweitje terwijl hier straks misschien een oorlog begint!' roept hij verontwaardigd. 'Wat heb ik in Maresa te zoeken!'[1]

---

[1] Misschien denk je dat mensen zoals Itai en zijn familie heel anders spraken dan je in dit boek leest. Toch valt dat verschil wel mee. Wij denken dat de manier van spreken in die tijd heel stijf en plechtig was, maar dat komt doordat wij hun wereld voornamelijk kennen via de bijbel, waar gesproken wordt met woorden als 'ge' en 'gij' en uitdrukkingen als 'hoor toch mijn smeekbede' en meer van dat moois. Maar de bijbel is een literair boek en bovendien zijn de meeste vertalingen die wij gebruiken nogal plechtig. Uit brieven die gevonden zijn, weten we dat ze in die tijd ook heel gewone spreektaal hadden, net als wij nu. Alleen als je een hooggeplaatste of een oudere aansprak of een gebed uitsprak, was je woordkeuze wat officiëler. Wel was het misschien zo dat kinderen in die tijd wat minder te vertellen hadden dan nu, tenminste als er volwassenen bij waren. En dat ze, als ze toch te veel praatjes hadden, wat vaker op hun falie kregen dan jij. Maar net zoals dat tegenwoordig heel erg kan verschillen van familie tot familie, was dat toen vast ook zo.

Maar vader en moeder dulden geen tegenspraak. 'Je gaat samen met Adalja', zegt moeder.

Adalja? Hee ... Itai kijkt hoopvol op. 'Gaat haar man ook mee? Uzi?' Uzi is één van de legeroversten. Als híj meegaat naar Maresa kan het best leuk worden.

'Helaas, jongen', zegt vader. 'Uzi is druk met andere zaken, dat snap jij ook wel. Adalja gaat haar ouders helpen met olijfolie maken. Ze is met haar eigen olijfoogst al klaar en ze hebben daarginds alle hulp nodig die ze kunnen krijgen.'

Moeder spreekt weer. 'Adalja wil morgen voor zonsopgang vertrekken, dan zijn jullie er voor de middag. Ronen gaat natuurlijk ook mee.'

Itai kijkt tussen zijn opgetrokken knieën naar de grond. Een vrouw, een stel oudjes en nu ook nog een peuter! Nou ja, Ronen, de baby van Adalja en Uzi, is een guitig ventje, net als El-Natan; Itai kan zo lekker dollen met die kleine jochies. Maar weggaan uit Lakis? Nu? Moet hij in Maresa olijven stampen terwijl in zijn eigen stad straks de zwaarden gescherpt en de slingerstenen opgestapeld worden? Hij heeft zin om even flink tekeer te gaan. Maar uit een ooghoek ziet hij aan de strenge blik op vaders gezicht dat het besluit vastligt – en brutaal zijn kan hem wel eens een pak rammel met een wilgentak opleveren.

Opeens krijgt Itai een ingeving. Hij moet iemand mee zien te krijgen, iemand van zijn leeftijd. Even denken. Jongens zijn er niet echt, tenminste geen leuke: Ruven houdt alleen maar van werken en Even snapt nooit wat. Wacht eens even: Akila, dat is 't! Ze is dan wel een meisje, en nog een Egyptische ook, maar wat maakt het uit? Als je haar uitdaagt, kan ze klimmen als een steenbok en lopen als een hinde.

Hij aarzelt geen seconde. 'Mag Akila mee? Mag dat? Ja? Mama?' Hij kijkt naar vader. 'Abba? U zei toch dat ze zo veel mogelijk hulp nodig hebben?'

Vader kijkt naar moeder, moeder naar vader. 'Ik vind het eigenlijk geen gek idee', begint vader. 'Noa zal het waarschijnlijk ook wel goed vinden. Weet je wat?' Nu kijkt hij Itai aan. 'Ga Akila en haar moeder straks maar vragen wat ze ervan vinden.' Vader lacht. 'Jij bent me d'r eentje, Itai. Je hebt je zogenaamde saaie karweitje nog niet aangenomen of je zet de zaken alweer naar je eigen hand ... En nu die sprinkhanenslingeraars. Gaan we ze nog de Judese krijgskunst bijbrengen of hoe zit dat?'

Itai haalt opgelucht adem. Akila reist mee, dat scheelt. Hij pakt het potje. Vooruit. Roep de manschappen.

'Zo is het wel goed, abba, zo zit-ie strak genoeg.'

Itai houdt de sprinkhaan bij de gevouwen vleugels tussen duim en wijsvinger; de steen ligt in zijn vrije hand. De spanning stijgt. Hij legt het steentje op de grond, geeft het insect zijn laatste instructies. 'Let goed op, jongen. Als je te hard springt, breek je je poot. En als je te zacht springt, kom je niet vooruit.'

Abba lacht. 'En als je te vlug springt, krijg je je eigen steen tegen je achterhoofd!'

Itai plaatst de sprinkhaan op zijn poten op de grond, vlakbij de steen, en trekt zijn hand terug. Met de andere arm houdt hij El-Natan op afstand. De sprinkhaan wendt zijn kopje een keer opzij. En terug. Geen beweging, alleen de voelsprieten wiebelen.

'Hij is een slimme slingeraar', fluistert Itai. 'Hij wacht tot de vijand dichterbij komt.'

Opeens – tik! – de sprinkhaan is van zijn plaats. En warempel, de steen maakt een sprongetje van wel een handlengte! Weer een sprong, het steentje rolt een stukje verder. De sprinkhaan probeert het nog 's, een scheef sprongetje nu, zonder vooruitgang, en dan: wel twee handlengten! Itai wil juichen, maar de beslissende worp komt nog. Opeens, twee vlugge sprongetjes en – oi! Het steentje rolt bijna tegen de muur! Maar waar is de sprinkhaan? Het touwtje ligt er nog met – oeps – één half sprinkhanenpootje eraan vast: de rest van de sprinkhaan is nergens te bekennen. Itai begint te lachen en komt juichend in de benen. 'Joehoe! Hij kan het, het is gelukt! Hij kan slingeren!' Hij maakt een dansje met El-Natan, gooit zich op de rug van zijn lachende vader. 'Abba, ik ga een leger van sprinkhanen formeren! Laat de Assyriërs maar komen, de slingeraars van Lakis staan klaar!'

Zijn vader lacht en tilt hem op, maar moeder kijkt bezorgd naar het afgebroken sprinkhanenpootje. 'Oi, oi,' zegt ze hoofdschuddend, 'nu lachen we erom. Maar als het het leger van Juda straks net zo vergaat als jouw slingeraar zullen we wel anders piepen.'

HOOFDSTUK 2

Naar Maresa

Akila zit op de kalkzandstenen hoofdstraat van Lakis met haar rug tegen een muur geleund. De aarden vloer van hun huis heeft ze schoongeveegd en met water uit het voorraadbekken besprenkeld, precies zoals Noa wilde. Vegen, vegen, vegen, het lijkt soms wel of ze nergens anders goed voor is. Maar nu mag ze eindelijk buiten zijn. De middagzon brandt op haar armen en voeten. Verderop in de straat is Elchai bezig zijn manden met koopwaar uit te stallen. Hij heeft haar in het voorbijgaan een takje dadels gegeven. Zeker omdat ze de dochter is van Barak, de opperbevelhebber van het garnizoen. Nou ja, dochter, het voelt nog niet echt zo. Nauwelijks een jaar geleden kwam ze als slavin in het huishouden van Barak en Noa en even later verklaarden ze haar tot hun dochter. Niet dat ze het niet fijn vindt om geen slavin meer te zijn, maar ze kan het nog niet goed bevatten. Ze stopt de laatste dadel in haar mond, genietend van de zoete smaak.

Het is het begin van de maand *Tisjri*². Dat betekent dat het bijna oogstfeest is. Hoe noemen de Judeeërs het ook weer? *Soekot*, dat is het. Feest van de loofhutten. Toen Akila onder de Judeeërs kwam wonen, was Soekot de eerste fijne gebeurtenis die ze meemaakte. In Egypte heeft ze ook wel oogstfeesten meegemaakt, maar bij de Judeeërs gaat het heel anders. Met Soekot trekken ze met z'n allen de stad uit, de velden in. Vorig jaar werd Akila er wat zenuwachtig van, omdat ze niet wist wat er ging gebeuren. Maar algauw was ze in net zo'n feeststemming als de rest van Lakis. Met de bruinrode

---

² De oogstmaand, rond oktober

takken van beekwilgen, de *tsaftsaf*, en de geurige bladeren van de
mirtestruik bouwde elke familie de eerste dag een grappige boog-
hut op de velden waar geoogst was. En in die hutjes ging iedereen
dan zeven dagen wonen en feestvieren – echt iedereen: jong en
oud, slaaf en meester. Als één grote familie.

Akila pakt het kale dadeltakje dat ze naast zich op de grond heeft
gelegd en probeert de twijgjes over elkaar te buigen en op de
grond te laten staan, als een klein hutje. Soekot was een vrolijk
feest. Er werd graan geroosterd op stenen boven een vuur, er
waren geitenkazen, vijgenkoeken en natuurlijk de nieuwe wijn
waar zelfs de plechtstatige priester van opvrolijkte. Vorig jaar hadden de kinderen en de mannen 's avonds vuren gestookt waarvan
de vonken tot tussen de sterren opdwarrelden. Vaders en grootva-
ders vertelden verhalen over wat er vroeger allemaal in Juda was
gebeurd, terwijl de moeders iedereen bleven volstoppen met lekkers. En zeven dagen lang was er geen huis om schoon te maken,
geen stoep om te vegen, geen pot om te poetsen. De hele dag was
Akila vrij om te dagdromen of te spelen met de andere kinderen:
Anat, de kleine Libi waar ze zo om moest lachen en natuurlijk Itai,
de zoon van de pottenbakker. 's Avonds verstopten ze zich in en
om de hutten, of dwaalden tot diep in de tunnels die onder de
gebogen wijnranken door liepen, terwijl de avondbries hun huid
koel maakte en de sterren door het ruisende bladerendak flonker-
den. Als het donker was en het gesprek van de grote mensen rond
het vuur rustiger werd en hun stemmen zich vermengden met het
sjirpen en ritselen van de krekels, terwijl de goudkleurige, halve
oogstmaan in de hemel klom, dan ...

'Auw!' Akila voelt opeens een por in haar ribben; haar twijgenhutje
valt uiteen op de grond. Ze moet haar ogen toeknijpen vanwege
het schelle zonlicht, maar ziet genoeg om te weten wie haar zo
ruw komt storen: het is Itai, net zo onbehouwen als altijd. 'Akila!
We moeten nú naar Noa toe, kom op! Jij mag met Adalja en Ronen
en mij mee naar Maresa als je wilt. We vertrekken morgen. Van

mijn ouders mag het tenminste. Kom op, dan gaan we toestemming vragen aan je moeder.'

Hij begint al richting Akila's huis te lopen. 'Schiet es op! Wat was je eigenlijk aan het doen?' Akila ergert zich aan Itai's haast, maar ze wil natuurlijk wel weten wat er aan de hand is. Naar Maresa? Wat heeft die jongen nu weer geregeld? Ze hijst zichzelf overeind. Itai is al om de hoek van de hoofdstraat verdwenen als ze hem nog een keer hoort roepen, 'Kom je nog? Schiet eens op!'

Ze slentert hem op haar gemakje achterna. Ai, wat heeft die jongen altijd een haast.

Het is nog schemerig in huis als Akila de volgende ochtend opstaat. Slaperig trekt ze haar tuniek aan, doet de leren gordel om haar middel. Als slavinnetje had ze een bruine tuniek, maar toen Barak en Noa haar tot dochter namen, kochten ze voor haar deze mooie donkerrode. Barak heeft haar ook uitgelegd hoe de wolwevers die kleur maken: ze halen de kleurworm van de bladeren van de eikenbomen en stampen die fijn in heet water. Leuk voor die wormen, denkt Akila, zomaar uit je veilige nestje gerukt ... Ze geeuwt en trekt haar sandalen aan.

Noa mompelt in zichzelf terwijl ze alles klaarlegt voor de reis: een brood, dadels, een leren waterzak natuurlijk, een extra kleed om in te slapen en twee geitenkazen voor de ouders van Adalja, bij wie ze gaan logeren. Ze rolt de etenswaren op in het kleed en hangt dat met de waterzak over Akila's schouder. Ze houdt Akila een stuk brood voor. 'Hier. Eet iets voor je vertrekt.'

Akila heeft nog geen trek, het is nog zo vroeg. 'Ik eet wel iets onder het lopen.'

In de achterkamer hoort ze Barak stommelen. 'Zal ik met je meelopen naar Adalja's huis?' hoort ze hem vragen.

'Hoeft niet', zegt ze beleefd. Ze kijkt naar Noa. 'Nou, dan ga ik maar.'

Ze aarzelt. Hoe moet ze afscheid nemen? Het is raar om moeder en dochter te zijn terwijl je het niet echt bent. Ze merkt dat Noa ook niet weet wat ze moet doen. Dan komt Barak de voorkamer in. Bij hem voelt Akila zich minder onwennig, hij maakt zich nergens druk om.

Hij bekijkt haar van top tot teen. 'Genoeg water?'

'Zeker, Noa heeft me goed voorzien', antwoordt ze.

Hij pakt haar stevig bij de schouders, kijkt haar in de ogen. 'Wees sterk, werk hard en de zegen van Elohiem[3] zij met je', zegt hij.

'Moge Hij je uitgaan en je ingaan bewaren', zegt Noa stilletjes.

Dan klinkt er een harde jongensstem van buiten. 'Kom je nog, slaapkop? Ik sta al uren te wachten!'

Alledrie lachen ze. Barak laat haar schouders los. 'Itai wordt ongeduldig. Wegwezen!'

Eenmaal buiten wordt Akila pas goed wakker. Eigenlijk heerlijk om voor dag en dauw op pad te zijn. De lucht voelt nog koel aan haar armen. In het veld hoort ze overal vogels kwetteren en roepen. Itai is vooruit gebanjerd. Naast haar brabbelt Adalja tegen Ronen, die in een doek op haar rug gebonden is. 'Hoor je het koeren van de duiven, Ronen? *Roekoekoe-roekoekoe.* En daar in de tak van de boom de boelboel met de geringde ogen. En – luister! – in de verte een bergfluiter.' Akila luistert mee om de Hebreeuwse namen te onthouden. Volgens Barak is het al niet meer te horen dat ze geen Judese is, maar ze weet dat er nog veel woorden zijn die ze niet kent.

Achter hen, ergens in de boomgaard naast Lakis, kraait een haan.

'Slaapkop!' roept Itai achterom. 'Wij zijn allang op stap en jij begint pas met kraaien!' Hij komt terugrennen. 'Hoorden jullie dat? Die luie haan?'

'We hebben je gehoord, ja', zegt Akila en loopt rustig door.

'En jij bent een luie hen!' lacht Itai. 'Het liefst bleef je zeker op je nest.' Hij draaft weer vooruit.

---

3 God, of letterlijk: 'goden'. Een van de oudste namen die de joden gebruikten voor God.

Akila kijkt om zich heen. Daar in het zuiden ligt Egypte. Hoe ver zou het zijn? Ze kijkt weer voor zich, in oostelijke richting, waar hun bestemming ligt. Maresa kan ze van hier niet zien, maar het hoger oprijzende Judese bergland erachter wel. Eerst de donkergroene voetheuvels met nu nog grijze nevelslierten in de dalen ertussen. Daarachter wordt het paars en bruin en daarachter, hogerop, blauw en zilver.

De lucht in het oosten kleurt eerst oranje, wordt dan feller, geler. Een paar tellen later ziet ze het randje van de zon boven de aarde uit komen. Op hetzelfde ogenblik hoort ze Itai's harde stem: 'De zon is op!' roept hij hen vanaf een rechtopstaand rotsblok toe. 'Ik heb als eerste de zon gezien!' Akila zegt niks.

Als ze hem passeren, rent Itai het hellinkje weer af om ze in te halen. De zon komt nu snel los van de aarde. De schaduwen worden kleiner en doorzichtiger. De koelte is voorbij. Akila ruikt de warme geur van de venkelbloem. Ze voelt de eerste zweetdruppeltjes op haar voorhoofd prikken.

Als ze zo lang gelopen hebben dat niemand nog praat, komen ze bij een splitsing in de weg. Rechtdoor loopt een lang, ondiep dal richting Bet Guvrin, Azeka en het noorden. Akila is daarvandaan gekomen toen Barak haar vanuit Jeruzalem naar Lakis bracht. Het pad richting Maresa en het oosten heeft ze nog nooit gevolgd. Itai ook niet; hij zei gisteren nog dat het zijn eerste bezoek aan Maresa zou worden. Maar nu doet hij alsof hij er dagelijks komt: 'Deze kant op!' roept hij.

Als het stoffige pad over een heuvelruggetje heen buigt, kunnen ze voor het eerst in de verte Maresa zien. Het stadje is mooi gelegen: minder hoog dan Lakis, maar toch ziet het er sterk en veilig uit. Dat komt vooral door de afgeronde bergen erachter, die schouder-aan-schouder het land beschermen.

Maresa is een handelsstadje, kleiner dan Lakis, maar kleurrijker. Adalja's ouders hebben er een olijfoliehandel. Iedereen kent hen, volgens Jatsar, Itai's vader. Ze verkopen zelfs olie aan kopers van

buiten Juda. Volgens Itai's vader zal Adalja vast en zeker zelf ook een grote handel opbouwen in Lakis, ze is zo slim en ze kan zo hard werken.

'Vindt u het niet vervelend om zonder Uzi op reis te gaan?' vraagt Akila.

Adalja glimlacht. Ze is een mooie vrouw, bijna zo donker als de Egyptische vrouwen die Akila zich herinnert. 'Uzi is zo druk met het leger dat ik hem thuis niet veel zie. Ik ga liever hard aan het werk in Maresa dan in Lakis te zitten afwachten wat er gaat gebeuren.'

'Denkt u dat er oorlog komt?' Akila's stem klinkt ernstig.

'We weten het niet', zegt Adalja. 'Alleen Elohiem weet het.' Ze begint een lied te zingen. *'Een sterke toren is de naam van de Ene ...'*

De gedachte aan oorlog maakt Akila onrustig. Hoe zou zoiets gaan? Zouden de Assyriërs Lakis ook aanvallen of alleen Jeruzalem, de stad waar de koning woont? Wat zouden ze doen als ze naar Lakis

komen? Zou er echt gevochten worden? En zouden de Assyrische soldaten iedereen dwingen om mee te gaan naar Assyrië? Dat vindt Akila het engste. Zo'n gedwongen verhuizing naar een ander land wil ze niet nog een keer meemaken.

Oorlog. Barak zegt er thuis niks over, maar Akila is niet dom: haar nieuwe vader is nog nooit zo veel in het paleis van de gouverneur achter de hoofdstraat geweest als de laatste weken.

Itai heeft zich bij hen gevoegd. 'Ik denk dat de Assyriërs niet durven', zegt hij beslist. 'Misschien komt Sanherib deze kant op omdat-ie ons wil laten schrikken. Maar het is de Assyriërs nog nooit gelukt om Juda te veroveren. Dat weet hij ook. Uzi zegt dat er na Jeruzalem geen enkele stad is die zo goed te verdedigen is als Lakis. Lakis is de tweede stad van Juda. Wij hebben meer strijdwagens en paarden dan alle andere vestingsteden aan deze kant van het land.'

Hij ratelt door als een wagenwiel, denkt Akila. Zoals gewoonlijk.

Ze valt hem in de rede. 'Barak zegt dat hij de paarden en strijdwa-gens misschien laat wegbrengen als de Assyriërs naar Lakis komen. Ze vreten alleen maar voer en je kunt er niks mee als je belegerd wordt. Aan paarden en wagens heb je alleen wat in het open veld.'

'Dan breken we toch gewoon uit', reageert Itai. 'Uzi kan wel tien Assyriërs aan: ze noemen hem niet voor niks de leeuw van Lakis. En trouwens, Barak helemáál. Die vader van jou is zo sterk als een os en zo snel als een arend.' Itai steekt zijn borst vooruit en lacht. 'En als ze Uzi en Barak overwinnen, moeten ze míj nog pakken.'

'Je lijkt Jozef de dromer wel', sneert Akila. Dat verhaal heeft Barak haar pas verteld. 'Die dacht ook dat hij de belangrijkste van zijn stam was, terwijl hij nog zo klein was als een onrijp druifje – en net zo zuur.' Zo, die zit, denkt ze.

Maar Itai geeft zich niet gewonnen. 'Wat je zegt is waar. Maar later kreeg Jozef mooi gelijk!' En opeens geeft hij Akila een mep op haar schouder. 'Wie 't eerste die helling daar op is!' Als een pijl uit de boog ziet ze hem het pad af vliegen. 'Ik ben Joab de moedige die in zijn eentje de Jebusieten van hun bergtop slaat!' schreeuwt hij achterom. 'Ik ga winnen! Voor Lakis en voor Juda!' Hij rent dwars door een wilde rozenstruik en is al begonnen aan de klim naar boven.

Akila weet dat ze kan winnen: ze is langer en lichtvoetiger dan hij. Ze heeft de achtervolging al ingezet. Haar steile zwarte haren wap-peren in de wind en als een strijdros vliegt ook zij tegen de helling op. Ze ziet Itai over zijn schouder kijken. Laat hem maar schrik-ken van hoe dichtbij ze al is! Met een hand aan haar mond roept ze zo hard ze kan: 'Pas op, Itai! Die twee rotsen daar zijn Assyrische soldaten!'

Itai kijkt niet eens om. 'Mij krijgen ze nooit. De leeuw van Lakis is los!'

De kam van de heuvel is zo steil dat Itai het voorlaatste stukje op handen en voeten moet klauteren. Akila niet, die springt op een

uitstekende rots – best een sierlijke zweefsprong, vindt ze zelf –
en hupt hem in twee stappen voorbij. En in het voorbijgaan ziet ze
– roetsj! – dat één van Itai's voeten onder hem vandaan glijdt. Ze
heeft gewonnen.

'Telt niet!' roept hij al. 'Telt niet! Ik ben uitgegleden!'

Akila staat met de handen in de heupen op de heuveltop, het
hoofd opgeheven. Ze hijgt nog, maar haar gezicht straalt in het
zonlicht.

'Telt niet!' roept Itai een beetje bozer, terwijl hij de top op slentert.

Akila draait zich van hem af om de andere kant van de helling
weer af te huppelen en zegt: 'Zeg je dat straks ook tegen de
Assyriërs als je uitglijdt?'

Maar Itai heeft het weer op een lopen gezet. Hij scheert haar voorbij, het laatste dal voor Maresa in, en roept over zijn schouder,
'Wie 't eerst bij Maresa komt. is de échte winnaar!'

Wel een doorzettertje die jongen, denkt Akila. En ze vliegt er als de
wind achteraan.

HOOFDSTUK 3

Slapen onder de sterrenhemel

'Gezegend zijn de voeten die dit huis betreden.'
'Gezegend de handen die ons ontvangen.'
'En gezegend bovenal zij de Schepper van wie alle zegeningen komen.'
Akila blijft op de achtergrond staan terwijl Adalja haar ouders begroet. Ze dacht dat zulke plechtige begroetingsgesprekken alleen aan het hof in Egypte werden gevoerd, maar deze Judeeërs kunnen er ook wat van. Ook Itai doet mee aan de lange aaneenschakeling van zegenwensen, vragen en antwoorden. Hij spreekt keurig met 'u en de uwen', maakt beleefde buigingen, geeft de juiste antwoorden. Akila vindt het mooi, maar staat er onwennig bij. Dan stappen de oude man en vrouw naar voren en maken met uitgestoken hand een buiginkje voor Akila. Ze stamelt: 'Sjalom – vrede, het is een eer u te ontmoeten.' En ze bloost als een kleurworm in een pot kokend water. Vlug kijkt ze naar Adalja. Moet ze nu de geschenken die ze van Noa heeft meegekregen aan de gastvrouw geven? Misschien hebben de Judeeërs een speciale manier om geschenken te overhandigen. Dat is het nadeel als je uit een ander land komt: je hebt altijd het gevoel dat je van alles verkeerd doet.
Maar Adalja's ouders zijn lieve mensen en als Akila even later in navolging van Itai haar kleed uitrolt tonen ze zich blij met de twee witte, brokkelige geitenkazen. Op het aarden erf voor de woning, onder de breedgevingerde bladeren van een vijgenboom, eten ze wat van de kaas met brood en een stuk van de vijgenkoek die Itai

heeft meegebracht. Ze drinken uit aarden kommen het koele water dat Adalja's moeder uit een ondergronds waterbassin heeft geschept. De oude Motsa vraagt naar hun reis en stelt hen op hun gemak door te praten over zijn eigen reiservaringen. Van Itai heeft Akila al gehoord dat Motsa verre handelsreizen heeft gemaakt: naar Jeruzalem, Moab, zelfs Assyrië.

'In Egypte ben ik ook nog geweest', zegt hij opeens met een onverwachte knipoog naar Akila.

Ze verslikt zich bijna in een stuk brood.

'In de grote stad Moph. Oi, wat een wondere stad!'

Akila begint te blozen, ze krijgt het warm. Hoe weet hij dat ze uit Egypte komt? Egypte! Ze staart naar de grond, voelt een krampje in de buik. *Umajma* – mama! Ze wil haar in gedachten weerzien, bij haar zijn. Maar ze ziet alleen een waas voor haar ogen. De oude Judeeër praat nog steeds, maar ze hoort niet wat hij zegt. Bijna strekt ze haar hand naar hem uit. Vertel me over Egypte! Wat u daar gezien hebt, waar u geweest bent. Hebt u misschien mijn moeder ontmoet? U zou haar vast en zeker herkennen, ik lijk op haar zei de hofmeester altijd – en hij zei dat zij de mooiste slavin was van het land. Meneer Motsa, denk na alstublieft, ik wil het weten! Moeder droeg een wit kleed en een zilveren halssieraad. En ze huilde.

Akila slikt en dwingt zichzelf uit haar gedachtewereld terug te keren. Tegenover haar zit de oude Motsa nog steeds op de steen onder de vijgenboom. Ze ziet Adalja, die de baby te drinken geeft uit haar borst. Ze ziet Itai die verderop een torentje maakte van steentjes. Ze durft geen vragen te stellen. Misschien later een keer, als ze zich hier meer thuis voelt. Thuis? Ik heb geen thuis, denkt ze. Ik ben een vreemdeling, ik kom hier niet vandaan. Mijn thuis is ergens anders, maar ik weet niet waar.

'Hee, kijk mij 's!' Itai is bovenin een olijfboom geklommen en zwaait met een arm naar Akila, Adalja en haar ouders, die met een paar knechten met manden op de rug aan komen lopen. Het werken in de boomgaard buiten de stad gaat Itai uitstekend bevallen, dat weet hij nu al. Ze zijn er na het eten en een korte rusttijd meteen naartoe gegaan die middag. Het leukste is dat hij en Akila het grootste deel van de tijd in de bomen mogen klimmen. Want terwijl de volwassenen de meeste olijven met de hand uit de takken plukken, moeten de vruchtjes aan de hoogste takken uit de boom geschud of met lichte stokslagen naar beneden getrommeld worden. Plukken is beter, want dan raken de olijven niet gekneusd. Maar er zijn te veel takken waar je vanaf de grond niet bij kunt. Dus is het klimmen geblazen.

'Neem die boom daar, daar hangen er een heleboel bovenin', roept Itai Akila toe. Hij kijkt toe terwijl ze behendig naar boven hupt.

Het is hard werken. Pas in de avond, als de zonnestralen schuin en dun over het land vallen, gaan ze weer naar het huis van Motsa en Rachel. Itai's armen zijn slap en hij heeft honger als een wolf. Het brood, de kaas en de druiven smaken goed, net als het koele water. En de slaap, bovenop het platte dak onder de weidse sterrenhemel, is zoeter dan ooit.

Na vier vermoeiende, heerlijke dagen is de hele olijfoogst binnen en begint het persen. Adalja's ouders gebruiken er een soort molen voor die Itai nog nooit gezien heeft.

'Met de molen halen we er meer olie uit in minder tijd', legt Motsa uit. 'Maar wees niet bang, aan het einde van de middag laat ik jullie met de voeten persen.'

'Ken je dat?' vraagt Itai enthousiast aan Akila. 'Dat is pas leuk werk. Dan gaan de olijven in een perskuip en loop je er met een paar mensen op je blote voeten net zo lang op te stampen tot alle olie eruit geperst is.'

De voetkuip, met het kleine geultje onderin waardoor de olie in de vaten stroomt, staat op een helling onder een grote, knoestige olijfboom. Volgens Adalja's moeder stond die boom er al toen de grootvader van Motsa nog een kleine jongen was.

Het voetpersen is het mooiste deel van de dag, vindt Itai. Als je de hele dag hard gewerkt hebt in de hitte en het stof is het heerlijk om die koele, stroperige olie tussen je tenen door te voelen sijpelen en het zachte vruchtvlees onder je vermoeide voetzolen te voelen. Rachel doet vrolijk mee: met haar kleed opgehesen tot boven haar knieën stampt de oude vrouw langzaam wiegend door de olijfpulp alsof het een soort dromerige dans is – met als muziek de westelijke middagwind die in de donkergroene en zilvergrijze olijfbladeren fluistert. Itai stopt even met persen. Van onder de takken kijkt hij uit over de Sjefela[4]. Het land is nog ouder dan de verweerde boom waar ze onder staan – zo oud als de aarde zelf. En Elohiem heeft het hun zelf gegeven, aan Abraham en zijn nakomelingen, om voor altijd te bewonen en te bewerken: de helling waar hij op staat, iedere steen van hier tot Lakis. Itai voelt de wind in zijn gezicht en denkt: in dit land hoor ik thuis, net als de stenen en de heuvels en de wind, hier op deze plek die Elohiem aan onze voorouders heeft gegeven: daar kan niemand ooit iets aan veranderen, zelfs de Assyrische koning Sanherib niet!

Die avond wil Adalja vroeg slapen; zij ligt met Ronen beneden in de voorkamer. Akila en Itai gaan via de houten ladder het platte dak op. Even later liggen ze allebei op de rug op hun slaapkleed. Als Akila naar boven kijkt, lijkt het alsof de lichtpaarse hemelkoepel nog groter en weidser is dan ooit. Aan de zuidoostelijke hemel flonkert een enkele ster, vlakbij de maansikkel. De lucht is afgekoeld. Het is lekker om half onder je kleed te liggen en met je handen onder je achterhoofd naar de hemel te kijken. Afgezien van het blaffen van een paar vossen of jakhalzen in de verte en het sjirpen van krekels ergens achter het huis is het stil.
'Kijk daar 's, en daar', hoort ze Itai zeggen, met één arm naar boven wijzend. 'Er komen al meer sterren. Elohiem heeft ze bij de schepping allemaal een naam gegeven. Allemaal, moet je nagaan!

4 Het heuvelland tussen de Middellandse zeekust en de bergen van Juda.

En toen heeft Hij tegen onze voorvader Abraham gezegd dat ons volk nog talrijker zou worden dan de sterren!'

Akila reageert niet.

Itai probeert het nog eens. 'In Assyrië bidden ze tot de maan en de sterren', zegt hij. 'Doen ze dat in Egypte ook? Wat hebben ze daar eigenlijk voor goden? Mijn vader zegt dat Elohiem de enige echte God is. Hij is in elk geval de grootste. De maan is niet eens een god, het is een kleine lamp die hij aan het hemelgewelf heeft gehangen voor de nacht. Net als de zon voor de dag.'

Nu antwoordt Akila wel. 'Reken maar dat de sterrenwichelaars van Sanherib vanavond naar de sterren kijken, om te beslissen of ze Juda gaan aanvallen. Zo deden ze dat in Egypte ook.'

'Elohiem wil niet dat je je levensweg in de sterren probeert te zien, weet je dat niet?' zegt Itai. 'Hij is de enige die alles ziet en weet. Hem moet je gehoorzamen, niet de sterren.'

'Ik gehoorzaam de sterren ook niet', antwoordt Akila. 'Ik vraag me alleen af wat de Assyriërs erin zien. Ik heb gehoord dat ze er oorlogstekens en strijdwagens in zien. Maar dat kan iedereen.'

'Ha!' snuift Itai. 'Als ze goed kijken, zien ze dat ze Lakis nooit te pakken kunnen krijgen.'

Akila laat haar ogen nog eens langs de nachthemel gaan. De goudkleurige maansikkel is een stukje hogerop geklommen. Ze gaat overeind zitten. Ze zal Itai eens wat laten zien.

'Kijk, daar ligt Lakis', zegt ze, wijzend in de westelijke richting waar ze een paar dagen eerder vandaan zijn gekomen. Het land is zwart, maar de donkerblauwe hemel is nu bezaaid met sterren – als een veld vol witte bloemen. 'En weet je wat die sterren boven Lakis voorstellen? Die daar, helemaal onderaan de hemel, vlak boven de grond?'

Itai weet niet zeker welke ze aanwijst, er zijn er zo veel.

'Die sterren daar vormen samen een boogschutter', vervolgt ze. 'Zie je dat? Die hoge en die lage ster, dat zijn de punten van zijn boog. Zo noemen ze dat. Mooi, hè!'

Akila weet dat Itai het machtig mooi vindt om dingen te weten – maar minder leuk om te moeten toegeven dat hij sommige dingen níet weet! En ja hoor, hij doet meteen alsof hij er ook verstand van heeft. 'Ja, en de boogschutter staat precies boven Lakis!' zegt hij.

Akila steekt haar borstkas vooruit alsof ze een toespraak gaat houden. Met een plechtige stem zegt ze: 'De sterren verklaren deze nacht dat de Assyrische aanvallers zullen sneuvelen door de boogschutters van Lakis!'

Itai is even stil en zegt dan opeens: 'Eigenlijk moet je niet zo praten. Je kunt toch niet op de sterren vertrouwen. Ze zijn om naar te kijken, verder niks. Alleen Elohiem weet wat er zal gebeuren met Juda. Je kunt maar beter naar Hem luisteren – en niet in die Assyrische of Egyptische onzinpraatjes geloven!'

'Net alsof alles in Juda beter is dan in Egypte!' snauwt Akila. 'Die God van jullie is anders wel mooi degene die mij bij mijn moeder in Egypte heeft laten weghalen!'

Akila merkt dat Itai een beetje is geschrokken van haar felle reactie. 'Je kunt beter niet zo over Hem praten', zegt hij zachter.

'Ha! Nu ben ik zeker degene die een grote mond heeft tegen de goden. Moet je horen hoe jij net sprak over de Egyptische goden. Alsof dat zoveel beter was!'

'Ja, maar de God van Juda is anders dan de goden va ...'

'Hou nu maar je mond', sist Akila. 'Anders krijgen we nog straf omdat jij zo'n herrie maakt.'

Itai draait zich om om te gaan slapen – tot Akila's teleurstelling, want ze had nog wel even lekker willen doorgaan met ruzie maken!

Geen vos of jakhals blaft er meer. Alleen de krekels sjirpen en de sterren ademen hun licht. Akila heeft het gevoel dat ze de enige is in de hele Sjefela die nog niet slaapt. Zij alleen. Ze voelt zich eenzaam. *Ik ben een vreemdeling, ik kom hier niet vandaan. Mijn thuis is ergens anders, maar ik weet niet waar. Umajma?* In de duisternis ziet ze haar moeder opeens weer voor zich. Umajma's gezicht is betraand en haar armen hangen langs haar zij. Niks kon umajma doen dan huilend toekijken toen Akila die dag werd opgetild en in de handen van de Judese gezant geduwd. Niks! En toen Akila omkeek, leek haar moeder – de slanke vrouw in het witte kleed met het zilveren sieraad om de hals, die volgens de hofdienaar de mooiste slavin was van het land – opeens op een gebroken stok. Umajma.

Itai rolt op zijn zij en snurkt een keer. Akila zou hem wel wakker willen maken, maar wat heeft het voor zin? Ze krijgen toch maar ruzie, hij begrijpt haar toch niet: hij heeft zijn familie en zijn God en zijn land waar hij altijd bij zal horen, zij is alleen en heeft niks. Niemand. Ze kijkt omhoog naar de glinsterende sterren. Wás daar maar een boogschutter, een sterke strijder die haar kon beschermen en thuisbrengen.

Tussen de duizenden sterren blijft haar oog rusten op één heldere ster. Hij lijkt wel de helderste van allemaal. Groot, prachtig en onverstoorbaar schijnt hij op haar neer. Ze denkt aan Barak en Noa. Barak mag haar graag, dat weet ze. Maar wat heeft ze eraan? Zijn échte eerstgeborene is Lakis, zijn zoons zijn de soldaten die hij leidt. En Noa? Ach. Ze doet haar best, maar ze zal nooit Akila's moeder zijn. *Mijn thuis is ergens anders ...*

Wat is dat, beneden? Ah, een kreuntje van Ronen, gestommel van Adalja. Ze geeft de baby zeker de borst. Akila voelt een traan in haar ooghoek opwellen en over haar oogrand op haar wang biggelen. Nog één, het wordt een stroompje. En op hetzelfde moment vecht ze om te leven – het kleine eenzame meisje uit Egypte daar alleen in de nacht op dat platte dak onder de weidse hemel van de Sjefela. Ze vecht tegen de eenzaamheid, tegen de angst, tegen de haat, tegen de Assyriërs. Ik móet dapper zijn, zegt ze tegen zichzelf terwijl de tranen doorstromen. Ik moet meestrijden als de Assyriërs komen om de kinderen van de moeders los te rukken – ik zal vechten! Als het moet, zal ik zelfs de goden bestormen. Ook

U, Elohiem! Ze kijkt naar die grootste, meest heldere ster. Hoe noemt Noa hun God ook weer? *'Elohiem, een milde God, vol medelijden, vol liefde en geduld, een God op wie je kunt vertrouwen ...'*
Akila slikt en voor het eerst in haar leven fluistert ze een stil gebed aan de Judese God. 'Als U echt mild en vol liefde en geduld bent, hoor mij dan, Elohiem: laat mij niet nog een keer in ballingschap gaan.'
De tranen drogen op. Umajma, zal ik u weerzien? Zult u mij zoeken en vinden? Akila valt in slaap.

HOOFDSTUK 4

De twee ruiters

'Akila, Itai, opstaan, de plannen voor vandaag zijn veranderd.' Zoals altijd is Itai meteen klaarwakker. Adalja zal wel beneden aan de trap staan die langs de buitenmuur naar het dak leidt. Haar stem klinkt dringend. Hij wrijft zich in de ogen, kijkt om zich heen. De zon is nog niet op, de Sjefela is een uitgestrekt grijs vlak: ze zijn vroeger gewekt dan anders. 'Wat is er dan? Waarom hebt u zo'n haast, Adalja?'

'Kom maar beneden, dan leg ik het uit. Is Akila wakker?'

Akila ligt languit op haar buik, in diepe slaap.

Itai staat op. Heerlijk. Nieuwe dag, nieuwe avonturen. Wat heeft Adalja te vertellen? Vlug maakt hij Akila wakker – voor zover je van vlug kunt spreken bij zo'n diepe slaapster. Ze rolt op haar zij, kreunt, rolt weer terug. Trekt het kleed over haar hoofd.

'Slaapkop! We moeten snel opstaan, we gaan iets anders doen vandaag!'

Itai is de trap al af gestuiterd en heeft Adalja al drie keer gevraagd wat er is, als Akila eindelijk met een slaperig gezicht de voorkamer in klost. Met een paar vingers trekt ze een pluk haren uit haar gezicht en steekt ze achter haar oor. Motsa is er ook: hij staat de kleine Ronen in zijn armen te wiegen terwijl Rachel aan de houten tafel in de weer is met etenswaren.

'Luister', zegt Adalja. 'Er is gisteravond een boodschapper te paard uit Lakis hiernaartoe gekomen.' Ze houdt even in en kijkt opzij naar haar vader. Dan zegt ze beslist: 'Het ziet ernaar uit dat er nu echt oorlog komt. We moeten zo snel mogelijk terug naar onze eigen stad.'

Itai doet onbewust een stap naar voren om haar met vragen te bestoken. 'Wanneer moeten we dan weg? Hoe weten ze dat er oorlog komt? Is het zeker? Zijn de Assyriërs dan al in Juda?'

Motsa klopt Ronen op zijn ruggetje. Rachel werkt onverstoorbaar verder aan de tafel: ze is bezig eten in te pakken voor hun terugreis.

'Onze verkenners weten vrijwel zeker dat de Assyriërs naar Juda komen en het lijkt erop dat ze Lakis zullen aandoen', zegt Adalja. 'Verder heeft de boodschapper niet veel gezegd. Het belangrijkste is dat wij terug moeten naar Lakis. En wel meteen, voor het te laat is.'

'Hoezo te laat?' vragen Itai en Akila tegelijk. Akila's stem is laag, maar ze kijkt al een stuk wakkerder.

'Als de Assyriërs naar Lakis komen, slaan ze het beleg om de stad. Dan kunnen wij er niet meer in. Volgens de boodschapper zal het nog niet vandaag of morgen gebeuren, maar we mogen toch geen tijd verliezen. Als jullie wat hebben gegeten en gedronken vertrekken we. Ga je slaapkleed vast oprollen en je sandalen aantrekken.'

Akila gaat naar boven, maar Itai is nog lang niet uitgevraagd. 'Wie was de boodschapper? Hoe lang heeft hij erover gedaan op zijn paard? Is hij nog in Maresa? Wie heeft hem gestuurd? Weten ze precies waar de Assyriërs zitten? Gaat Barak ze niet aanvallen?'

'Ik heb alles verteld wat er te vertellen is. En nu opschieten', zegt Adalja.

Op het dak zit Akila op een verfrommeld slaapkleed met een riempje van haar ene sandaal in de hand voor zich uit te staren.

'Je moet opschieten', zegt Itai, die al bijna klaar is. 'We moeten zo gaan.'

Zonder te antwoorden begint Akila haar kleed op te rollen.

'Moet ik helpen?' vraagt Itai. Dit schiet niet op.

'Nee, laat maar.'

Itai vindt dat Akila vreemd doet. Waarom zet ze de vaart er niet in? Begrijpt ze niet dat ze haast moeten maken? 'Is er iets?' vraagt hij. Ze zit op haar knieën met de rug naar hem toe en zegt, 'Nee, alleen een beetje buikpijn.'

Beneden heeft Itai zijn brood en kommetje geitenmelk al op terwijl Akila nog op de eerste hap zit te kauwen. Ze ziet eruit als een olijf waar alle olie uit geperst is.

'Akila zegt dat ze misselijk is', zegt hij.

Adalja kijkt naar het meisje en legt een hand op de hare. 'Meisje toch. Maak je geen zorgen. Elohiem zal ons behoeden. Hier, drink wat water, dat valt niet zo zwaar als geitenmelk.'

De stemming als ze Maresa uitlopen is heel wat ernstiger dan zes dagen eerder, toen ze Lakis verlieten, denkt Itai. Akila houdt de hand van Adalja vast; ze zegt dat haar benen slap zijn. Motsa heeft een van zijn dienstknechten opdracht gegeven met hen mee te reizen en Itai en hij lopen een paar passen voor de anderen. In stilte lopen ze het pad af dat van de stadspoort het dal in draait alvorens aan te sluiten op de weg naar het westen en Lakis. De meeste mensen in Maresa slapen nog. Itai hoort alleen het geluid van hun voeten op het grind.

Hij is opgewonden – maar het is een ander soort opwinding dan gewoonlijk. Hij heeft het gevoel dat ze een avontuur tegemoet lopen dat groter en serieuzer is dan de gewone jongensavonturen die hij altijd gekend heeft. Stel je voor, de Assyriërs! De roemruchte koning Sanherib in levende lijve voor de poorten van Lakis ... Op een steen langs het pad hupt een bruine sprinkhaan en hij denkt aan zijn experiment. Grappig, maar ook een beetje onzinnig, vindt hij nu. Alsof oorlog een spelletje is.

'Zullen we wat sneller lopen?' vraagt hij. 'Ik kan dit slome geslenter niet meer aan.' Als niemand reageert, stuift hij een hellinkje op, klimt op een rots en tuurt richting Lakis. Dit is de spannendste reis die hij ooit heeft gemaakt: het bergland in de rug, de neus naar het westen, de vijand tegemoet – zó hoort het! Ik hoor bij de keurtroepen van de koning en we zijn vooruit gestuurd om de Assyriërs te verrassen, denkt hij. Een steenworp verderop staat vlak naast het pad een jeneverbessenstruik tegen een groot rotsblok aan. Hij sprint erheen, uit het zicht van de anderen, en kruipt erachter. Er ligt een stok, mooi. Ademloos wacht hij tot de rest vlakbij is. Het lukt, niemand ziet hem. Als ze hem net voorbij zijn, springt hij met een kreet naar voren. 'Voor Lakis en voor Juda!' schreeuwt hij terwijl hij met de stok in de hand op zijn slachtoffers afsnelt.

Akila springt bijna uit haar vel van schrik, net als Adalja. Ronen, die op zijn moeders rug lag te slapen, zet het op een brullen. De enige die niet reageert, is de dienstknecht van Motsa, die doorloopt en nauwelijks omkijkt.

'Stomme jakhals!' zegt Akila. 'Kijk nou wat je gedaan hebt!' Ronen kan nauwelijks lucht krijgen, zo hard huilt hij. Dikke tranen druppelen langs zijn neusje.

'Het was maar een grapje hoor!' bijt Itai terug.

Maar Adalja ziet er blijkbaar de humor ook niet van in. 'Bewaar je listen maar tot je een echte soldaat bent', zegt ze kort.

Akila mompelt erachteraan: 'Je zult je grapjes wel vergeten als je merkt hoe het is om een echte oorlog mee te maken – en misschien wel je land en je huis te moeten verlaten!'

Itai kijkt haar boos aan en gaat naast Adalja lopen om Ronen een handje toe te steken. Maar het ventje kijkt hem met een bibberende bovenlip aan en begint nog harder te brullen. Itai besluit maar weer vooruit te lopen. Dat vrouwvolk ook altijd.

Een tijdje nadat de zon zijn hoogste punt heeft bereikt, naderen ze Lakis. Ze lopen net als op de heenweg om de noordkant heen, Itai voor iedereen uit. Nu ze vlakbij de stad zijn kan hij zijn opwinding nauwelijks de baas. 'Schiet 's op!' roept hij achterom. 'Dan kunnen we al het nieuws horen!' Hij wil als eerste het dal bereiken voor de stadspoort. Hee, wat is dat, verderop naar het noordwesten? Hij

stopt. Een rivier van zwarte, bruine en gevlekte stippen stroomt traag over de helling. Ah, een kudde grazende geiten. Het vertrouwde gezicht geeft Itai een goed gevoel. Wie loopt er eigenlijk bij? Het zal de kleine Tal wel zijn, het zoontje van Segev.
'Zo dichtbij kunnen de Assyriërs niet zijn,' roept hij weer, 'anders had Segev Tal er niet op uit gestuurd.' Van blijdschap rent hij het dal in. Wat voelt het goed om terug te zijn op eigen bodem!

Akila en Adalja versnellen ook hun pas als ze om de noordelijke stadsmuur heen komen en Itai in de verte zien rennen. Nu ze van die kant het dal in lopen richting de poort, onder de westelijke muur langs, valt het Akila op hoe hoog de stad naast haar opdoemt en hoe steil de hellingen zijn van de heuvel waarop Lakis is gebouwd. De voettocht vanuit Maresa en het gezelschap van Adalja en Ronen hebben haar goed gedaan, maar nu krijgt ze weer een gevoel van beklemming. Het herinnert haar aan die eerste keer dat ze hier arriveerde, achterop het paard van Barak. Een onzeker buitenlands meisje dat niemand kon verstaan en niet wist wat haar te wachten stond. Ze moet het hoofd in de nek leggen om die hoge wand helemaal te zien. Aan de overkant van het dal rijzen heuvels op en daarachter ... een onbekende vijand die naderbij komt. Akila heeft het gevoel dat ze een omheining in lopen, net als de stenen schaapskooien waar de schapen een paar maanden geleden in gedreven werden om te worden geschoren. Weer die kramp in haar buik. Zullen de Lakisieten ook blaten als bange schapen wanneer de wolven uit Assyrië op hen af snellen? Wat zal ik zelf doen? Ze denkt terug aan haar besluit om te vechten voor het leven en klemt de kaken op elkaar.
Haastig lopen ze op de poort toe. Alles voelt anders dan anders. Ligt het aan haar of ...? Nee. Lakis is veranderd. De zware poort met zijn bronzen scharnieren, die normaal gesproken op deze tijd van de dag gastvrij open staat, zit potdicht. Zelfs het deurtje onderin dat alleen op de sjabbat en 's nachts dicht gaat, lijkt vergrendeld.

Ze hoort het piepend opengaan voor Itai. Een bewapende soldaat laat hem binnen. Akila en Adalja lopen nog sneller, op een drafje, alsof de deur zo voor hun neuzen weer dicht kan gaan. Zodra ze over de stenen drempel zijn, valt de zware houten deur inderdaad meteen achter hen dicht. De bewapende wachter gaat hen voor over het kleine binnenplaatsje tussen de twee poortdelen. Het is er stil. Akila houdt de adem in. De wachter leidt ze door de beschaduwde gang met links en rechts de wapen- en voorraadkamers van de poortwachters. Aan het einde van de gang is nog een deur; pas als die krakend achter hen dichtvalt, ademt Akila weer uit. Ze staan weer in de zon. Terug in Lakis. De sfeer is gespannen, dat voelt ze aan alles. Ze gaat dichter bij Adalja lopen. Beiden vertragen de pas om alle veranderingen in zich op te nemen.

'Moet je kijken!' Itai is terug komen rennen en wijst naar de bovenkant van de stadsmuur achter hen.

De hoeken van de stadsmuur en de vooruitstaande bastions die op regelmatige afstanden van elkaar de muur onderbreken zijn verhoogd met zwaar timmerwerk. De kantelen ook.

'Kijk daar!' Itai wijst pal achter hen. 'Reuzenslingers!' Akila doet een paar passen naar achteren en ziet op de torens naast de poort zware houten werktuigen, bedoeld om grote stenen het dal in te slingeren. Ze heeft geen tijd om zich af te vragen hoe die dingen werken, want Itai is de hoofdstraat al in gerend en Adalja loopt nu ook door. De hoofdstraat is veel drukker dan meestal rond het middaguur, op het heetst van de dag. En het zijn ook geen handelaren en huisvrouwen die af en aan lopen, maar ernstig kijkende soldaten die zo te zien strikte orders hebben. Akila kijkt of er iemand is die ze herkent. Is het nu fijn om terug te zijn of niet? Ze weet het niet. Van een gewoon stadje waar ze zich bijna thuis was gaan voelen is Lakis veranderd in een gepantserde vesting. Een oorlogsstad, waar onbekende, onbegrijpelijke dingen staan te gebeuren.

'Oi, na'ara – meisje toch! Gezegend zij Elohiem en geprezen zij zijn grote naam dat Hij je veilig heeft doen terugkeren ...' Akila staat op haar tenen terwijl haar wangen worden samengedrukt tussen het oor en de schouder van Noa. Ze wist niet dat Noa zo blij zou zijn haar terug te zien – en dat ze de omhelzing van deze vrouw zo fijn zou vinden. Onwennig heeft ze ook haar armen om Noa's middel geslagen.

'Waar is Barak?' vraagt ze, terwijl Noa nu haar wangen tussen haar handen neemt.

De vrouw laat los en schudt het hoofd. 'Oi, oi, Akila. Barak is druk. Druk. Dit is zijn tijd, meisje. Nu moet het gebeuren.' Ze streelt nog een keer met de achterkant van haar hand langs Akila's wang. 'Kom, leg je spullen weg. We gaan naar Jatsar en Sjamira. Adalja gaat er ook naartoe met Uzi. Daar zullen jullie al het nieuws horen.'

'Nu komt er dus echt oorlog?' Er valt een korte stilte na Akila's vraag. Ze zit naast Itai op de vloer in de werkplaats van Itai's vader. Noa zit naast Adalja en Sjamira op een bankje. Uzi is er ook. Jatsar staat aan de werkbank. Als de oudste aanwezige moet hij als eerste antwoord geven, maar hij zegt nog niks. Hij is bezig met een koord een groot stuk zachte klei doormidden te snijden. Er gaat zo'n rust van die man uit, denkt Akila. Nooit heeft hij haast, altijd gaat hij rustig door met zijn bezigheden. En altijd is het even stil voordat hij iets zegt. Ze glimlacht in zichzelf: Jatsar is zó anders dan zijn zoon Itai ... De man pakt het afgesneden stuk klei in zijn twee grote handen en begint het op de werkbank te kneden.

'Het lijkt erop van wel', begint hij, terwijl zijn grote handen de klei bewerken. 'Barak zegt ons dat we op het ergste voorbereid moeten zijn. Tirhaka de Egyptenaar is ons te hulp gekomen en heeft met zijn leger geprobeerd Sanherib aan de kust tegen te houden. Maar de Assyriërs hebben hem bij Elteke verslagen. Is het niet, Uzi?' Akila schrikt als ze het Egyptische leger hoort noemen, maar heeft geen tijd erover na te denken, want Uzi neemt meteen het woord.

'U zegt het met zachte woorden', zegt de jonge aanvoerder. Uzi kijkt de kring rond. Hij spreekt met korte zinnen en in zijn stem klinkt niets van de terughoudendheid van Jatsar. 'Onze hoop op hulp vanuit Egypte was valse hoop. Tirhaka en zijn leger waren kansloos tegen de overmacht van de Assyriërs. Nu zal Sanherib zijn aandacht op Juda richten. En in Juda op Lakis. Morgen is het sjabbat; we kunnen er zeker van zijn dat vóór de volgende sjabbat de Assyriërs ófwel naar huis zijn gegaan ófwel voor onze poort staan. Ik reken op het laatste.'

De Egyptenaren kansloos? Terwijl Akila probeert het allemaal tot zich te laten doordringen, begint Itai vragen af te vuren. 'Waarom wil Sanherib eigenlijk over ons heersen?' Hij kijkt van Uzi naar zijn vader. 'Wij hebben toch al een koning!'

Jatsar kneedt ononderbroken de klei, terwijl hij een antwoord zoekt. 'Een heerser wil heersen zoals de zon wil branden', zegt hij.

'En zoals een pottenbakker de klei wil vormen', zegt Sjamira, terwijl ze El-Natan op haar arm verlegt.

Jatsar lacht kort, maar er klinkt geen blijdschap in zijn lach. 'Ja,' zegt hij, 'zoals ik de klei naar mijn hand zet, zo wil Sanherib de volken naar zijn hand zetten.' Hij pakt met beide handen het brok klei op waarmee hij bezig is en slaat het met kracht neer – klap! – op de kneedtafel. Akila schrikt ervan. El-Natan begint bijna te huilen.

'Maar dat kan toch alleen Elohiem?' vraagt Itai.

Jatsar stopt met kneden en staart naar de klei op de werkbank. 'Ja, dat kan alleen Elohiem. Maar proberen de mensen niet allemaal zoals de goden te zijn?'

Akila zegt niks. Ze blikt opzij en ziet op Itai's gezicht een vertwijfelde uitdrukking. Hij is net zo geschrokken van de berichten als zijzelf. Zijn stem klinkt opeens minder zelfverzekerd en opgewekt dan anders.

'Maar de slag om Azeka dan?' vraagt hij aan Uzi. 'Jij zei dat de

Assyriërs toen zo veel verliezen hebben geleden dat ze Juda niet meer zouden durven aanvallen. En koning Hizkia zegt dat Juda een stekelvarken is waar zelfs de grootste reus zich niet aan wil prikken!'

Uzi glimlacht niet eens om de grappige vergelijking. 'De tijden zijn veranderd, jongen. Sanherib is veel aggressiever dan zijn voorganger Sargon. Zijn soldaten zijn talrijker en beter geoefend. Uit Sidon hebben wij gehoord dat hij wapens en oorlogsmachines heeft gemaakt zoals de wereld nog nooit gezien heeft.'

'Wat zijn dat dan voor vreselijke oorlogsmachines?' wil Itai weten.

'Ik weet het niet,' zegt Uzi, 'maar ik vrees dat wij ze spoedig met eigen ogen zullen zien.'

Het is laat in de middag. Akila is een kom water uit het vat aan het scheppen om aan Barak te geven. Hij is net thuis gekomen. Net als ze het water op tafel heeft gezet, verschijnt hijgend Itai in de deuropening.

'Sjalom, Barak!'

'Sjalom, Itai – hoe was de reis? Akila vertelde me net over Motsa en Rachel.'

'Het was goed. Maar ... ik moet voor abba's bakoven hout sprokkelen. Ik ga naar de bosrand.' Hij aarzelt. 'Ik dacht, zal ik misschien ook hout meenemen voor het vuurbaken, zodat u genoeg heeft om vuursignalen naar de andere steden te sturen?' Ook Itai heeft ontzag voor de opperbevelhebber, dat merkt Akila altijd als hij tegen haar vader spreekt. Het doet haar goed.

'Ah', zegt Barak. Hij lacht. 'We hebben genoeg, jongen. Maar toe maar, haal maar wat extra.' Hij heft zijn kin op en kijkt langs zijn neus naar Itai. 'En je wilt Akila zeker meenemen?'

Itai kijkt naar de grond. 'Misschien?'

Barak lacht opnieuw en knijpt Akila zacht in de arm. 'Ga maar mee, dan verdwaalt Itai niet.'

Noa komt uit de achterkamer. De rimpels boven haar ogen lijken

nog dieper dan anders. 'Moeten de kinderen nog wel de stad uit?'
'Het zal ze goed doen – en het houdt ze weg bij onze soldaten',
zegt Barak. En tegen de kinderen: 'Ga niet te ver van de stad. Nu
wegwezen!'

Akila vindt het fijn om in het veld te zijn, ver van alle muren en
bepantseringen. Toch voelt het niet meer als voorheen. De buikpijn van die ochtend is weg, maar helemaal ontspannen kan ze
zich niet, ook niet hier in het veld, waar de wind haar haren streelt
en het gele gras haar benen.
Ze lopen langs de bosrand ten zuidwesten van Lakis. Al sprokke-
lend dwalen ze toch de heuvel op tegenover de stad. Daar is een
bosje duindoornstruiken met veel dikke, verdorde takken erin. Itai
rent ernaartoe. Als zijn hoofd net boven de kim van de heuvel uit-
komt, gebeurt er iets. Akila ziet hem bukken. Dan gooit hij zich
snel op de grond. Wat is er? Heeft hij iets gezien?
'Psst, Akila, kom hier, vlug!' fluistert hij. Hij lijkt geschrokken.
Akila legt haar bundel takken neer en schiet naar hem toe. Itai
kruipt ietsje naar voren. Akila volgt. Ze tuurt door het hoge gele
gras. Nu is het haar beurt om te schrikken. In de verte, één heuveltop verder, ziet ze twee ruiters. Ze komen in een rustig drafje hun
kant op. Akila kan geen woord uitbrengen. De twee ruiters trekken
in een wijde boog naar de bosrand toe waar zij zitten. Ze moeten
iets doen!
'Tussen die rotsblokken', fluistert Akila en wijst naar rechts. Als ze
zich daar verschuilen, kunnen ze onopgemerkt blijven toekijken.
De twee ruiters komen dichterbij. Op nog geen vijftig passen bij
de kinderen vandaan houden ze in. Het zijn soldaten, maar geen
Judese. Hun helmen flakkeren in de middagzon. Zo te zien zijn ze
licht bewapend, met een zwaard aan de zij en ieder een klein
schild dat op de schouder van zijn paard rust. Eén van hen wijst
langs de bosrand naar het lager gelegen plateau aan de zuidkant
van de stad. Akila houdt de adem in. Het plateau!

Het plateau is ongeveer half zo hoog als de stad, maar ligt er dichtbij; Akila en Itai zijn er voorlangs gelopen op hun sprokkeltocht. Een paar weken terug heeft Akila er op een middag met Barak op gestaan. Daarvandaan kijk je recht op de zuidelijke muur van Lakis en schuin op de poort en de toegangsweg tot de stad. Akila's hart klopt in haar keel. Ze weet wat dit betekent. Barak heeft haar die middag verteld dat de Assyriërs daar hun kamp zullen opslaan als ze komen. 'Dat gebruiken ze als stijgbeugel', heeft hij gezegd. Ze wil het Itai vertellen, maar durft niet uit angst om gehoord te worden.

De ruiters draaien zich om. Wat een opluchting. Ze draven weg in de richting vanwaar ze gekomen zijn. Nog een paar tellen houdt Akila haar adem in, totdat Itai haar bij de onderarm grijpt.

'Het waren verkenners!' zegt hij. 'Assyriërs!' Hij praat zo hard dat ze bang is dat ze alsnog gehoord worden. Maar de ruiters zijn al achter de heuvel verdwenen. Itai springt overeind. 'Wij hebben Assyrische verkenners gezien, Akila!'

Akila weet niet of ze blij moet zijn of bang.

'Kom, we moeten terug om het de anderen te vertellen! Kom op, rennen!' En Itai stuift weg, dwars over het veld naar de stadspoort.

'Wacht even!' roept Akila hem na. 'Wacht nou even!' Itai is z'n sprokkelhout vergeten, de ezel.

HOOFDSTUK 5

Lakis uitgedaagd

'Laat je werk maar staan. Je moet meekomen.'
Itai kijkt verbaasd op. Zijn vader staat in de deuropening van
de werkplaats.

'Wat is er dan? Wat gaan we doen? Ik moet toch de stempels afmaken?' Itai is bezig de voorraadpotten die zijn vader die ochtend
vroeg gedraaid heeft van het koninklijk stempel te voorzien. Ze
zijn voor het leger bestemd. Het is geen klus waar je zomaar bij
kunt weglopen: de stempels moeten erin gedrukt worden voordat
de klei te droog is.

'Dat komt later', zegt vader. 'Kom nu mee.'

Itai legt het kleine stempeltje op de werkbank en veegt zijn handen aan een doek. 'Waar gaan we heen?'

'Kom!' zegt vader. Hij klinkt ongeduldig.

Buiten wacht moeder hen al op met El-Natan op haar arm. Er
lopen meer mensen op straat, allemaal dezelfde kant op.

'Wat gaan we doen, abba? Waar gaat iedereen heen?' Itai snapt er
niks van. Maar vader en moeder benen het straatje door, de hoofdstraat in, met de stroom mensen mee. Ze passeren het paleis van
de gouverneur. Itai ziet in de onderste tree van de trap de letters
die hij er een keer in heeft gekerfd om aan Akila en Anat te bewijzen dat hij kon schrijven. Hij had ze mooi beet. In Lakis kan geen
van de kinderen schrijven, maar hij had een paar tekens uit zijn
hoofd geleerd. Zijn muurschrijverij leverde wel een pak slag op:
de paleiswacht heeft hem een klap op de zijkant van zijn hoofd
gegeven waar zijn oor een hele dag van tuitte en zijn moeder
stuurde hem zonder brood naar buiten.

Tussen de mensen die verderop lopen, ziet hij Noa's blauwe hoofd-doek. En ja, dat zwarte hoofd moet dat van Akila zijn. 'Kunnen we Noa en Akila inhalen?' vraagt hij. Vader neemt El-Natan over van moeder. Ze versnellen hun pas.

Om de bocht halverwege de hoofdstraat begrijpt Itai opeens waar iedereen heen gaat. De stadspoort en een stuk van de westelijke muur zijn nu in het zicht. Het ziet er zwart van de mensen! Tussen de soldatenwachten in probeert de halve stad een plekje te vinden op de muur.

'Wat doen ze daar? Zijn de Assyriërs er al?' Itai schrikt van de gedachte. Nu al!

Ze wringen zich door de menigte warme mensenlichamen heen naar een houten trap iets voorbij de poort. Daar klimmen Noa en Akila al omhoog.

'Snel', zegt vader.

Nog een paar treden en ze zijn boven. Verderop langs de muur staan Noa en Akila al over de kantelen naar het dal te kijken. Naast hen is nog plaats.

Itai rent erheen.

'Akila!' Hij drukt zich naast haar tegen de muur en moet op zijn tenen staan om het dal in te kunnen kijken – het lijkt wel of de muur hoger is dan anders.

Niks te zien. Helemaal niks! Het dal ligt erbij als altijd, links de bosrand, rechts de heuvel met wijnranken, voor hen de heuvel waar de weg naar de kuststreek overheen slingert. Niks.

Itai's vader en moeder wringen zich vlak naast hem. 'Waarom staan we hier? Er is niks te zien! Komen de Assyriërs eraan? Waar zijn ze dan?'

Ita's vader kijkt in dezelfde richting als alle andere mensen. Hij knikt. 'De verkenners hebben gezegd dat ze eraan komen. Als Lakis hun bestemming is, zullen ze deze middag verschijnen.'

Itai voelt zijn hart kloppen in zijn borst. Voor de eerste keer wordt hij echt ongerust. Hij trekt zijn vader aan de mouw. 'Komt er dan vanmiddag al oorlog? Gaan ze meteen vechten? Wat moeten we doen?' Opeens vervult het idee van oorlog hem met schrik. En nu valt het hem pas op dat langs de hele stadsmuur een borstwering is gemaakt – vandaar dat de muur hoger lijkt dan anders. De soldaten hebben het houtwerk dichtgemaakt door er een lange, aaneengesloten rij van ronde schilden aan te bevestigen: een extra pantser tegen de pijlen, slingerstenen en wie weet wat er nog meer door de lucht zal vliegen als de Assyriërs de strijd openen.

Itai voelt de hand van zijn moeder op zijn schouder. 'Kalm aan, na'ar', zegt ze. 'Als ze komen is het nog niet meteen oorlog. Zo snel als jij zijn zelfs de Assyriërs niet.' Ze lacht en Itai verbaast zich erover dat ze dat kan op een moment als dit. Ima is moediger dan hij.

Wat duurt het lang. De tijd gaat langzamer dan de zon aan de hemel. Kijken en niks zien, kijken en niks zien. Wachten, nog een keer kijken. Helemaal niks gebeurt er! Maar niemand gaat naar huis, want dat er iets gáát gebeuren, is zeker. Itai probeert het allemaal te bevatten. De Assyriërs, hier in Lakis. Nu al! Ze zijn niet alleen brutaler, maar ook sneller dan hij dacht. En het is ... hee! Het is de achtste dag van Tisjri!

'Abba!'

'Wat is er, jongen?'

'Overmorgen is het *Jom Kippoer*, de Grote Verzoendag!'

Vader zegt niks, knikt alleen maar naar hem.

'Maar hoe moet dat dan, abba? Als de Assyriërs er zijn? Als het oorlog is? Hoe moeten we dan vasten?'

'Ik weet het niet, jongen', zegt vader. 'Ik weet het echt niet.'

Itai's gedachten buitelen over elkaar heen. In Juda is de Grote Verzoendag de allerbelangrijkste dag van het jaar. Volgens de wet moeten er ieder jaar op die dag speciale offers worden gebracht aan Elohiem, zodat hij de zonden van het volk zal vergeven. Het offeren van de dieren – een jonge stier, bokken, een ram – moet volgens precieze regels gebeuren en duurt een groot deel van de dag. Maar hoe moeten ze Elohiem om vergeving vragen als de Assyriërs ... en wat als het gewoon niet kan omdat er oorlog is? Juist nu ze Gods hulp zo hard nodig hebben? En dan is er nog het probleem van het vasten. Op Jom Kippoer mag er niemand eten – maar hoe moet dat als er oorlog is? Itai durft al helemaal niet te denken aan wat er ná Jom Kippoer komt: Soekot, het oogstfeest. Een mooi feest zal dat worden met de Assyriërs aan de poort ...

Een vlaag van opwinding gaat door de menigte op de muur. Er wordt druk gepraat, gewezen. Itai rekt zijn nek uit om tussen de twee schilden voor hem door te turen. Dan valt het stil. Alle ogen zijn op de tegenovergelegen heuvelweg gericht. Hoe ze het weten is Itai een raadsel, maar de soldaten hebben doorgegeven dat de vijand nu ieder moment kan verschijnen.

Itai heeft steeds gedacht dat hij zich bij het zien van de eerste glimp van de vijand trots en fier zal voelen: als een jonge leeuw van Lakis. Maar het pakt heel anders uit.

Eerst ziet hij een handvol vaandels aan hoge stokken. Van achter de heuveltop rijzen ze steeds hogerop, tot hij de vaandeldragers zelf ziet. Daarna nog meer mensen, soldaten ongetwijfeld, met tussen hen in iets groots – wat is het? – een grote strijdwagen. Itai trekt zijn vader hard aan de mouw. 'Is dat de wagen van de koning?'

'Stil,' zegt vader kort, 'ik kan 't nog niet precies zien.'

De kop van de stoet is nu goed en wel over de helling, een steeds langer wordende sliert van soldaten achter zich aantrekkend. Achter de helling ziet Itai een stofwolk oprijzen. Hij hoort een geluid. Eerst lijkt het op dat van een aanwakkerende wind. Geleidelijk aan wordt het harder, ritmischer. Gedreun van voeten, geratel van wagenwielen, geklop van hoeven. Itai voelt zich meer muis dan leeuw: hij is banger dan hij ooit in zijn leven is geweest. Hij drukt zich tegen zijn vaders zij en moet zich met twee handen aan de betimmering vasthouden om niet door zijn benen te zakken.

Een os loeit in de verte. Itai spert zijn ogen wijd open. Hebben ze ook ossen bij zich?

Zo meteen stoppen ze op een afstandje van de stad om een strijdlinie te vormen of zoiets, denkt Itai. Maar tot zijn stomme verbazing stoppen ze helemaal niet: ze blijven maar dichterbij komen. De vaandeldragers en de kop van de stoet lopen nu door het dal, nauwelijks een boogschot van de stadsmuur. De koninklijke wagen omringd door keurtroepen is nu duidelijk herkenbaar. De Assyriërs blijven maar komen, alsof niks hen kan tegenhouden.

Aan de achterkant wordt de stoet soldaten langer en langer. Als een reusachtige adder schuift de vijand op het stoffige pad de heuvel over, het dal in. Verstijfd kijkt Itai toe – te verschrikt om weg te lopen, te bang om iets te zeggen. Hij houdt zelfs op met denken. Hij kan alleen maar toekijken hoe de dodelijke slang dichter- en dichterbij komt. Door het dal, tot vlak onder de helling met de toegangsweg naar de poort. Nu ziet hij dat de soldaten twee aan twee lopen, strak in het gelid, en dat ze verdeeld zijn in verschillende eenheden. Achter de vaandeldragers lopen een soort priesters, lijkt het wel, in lange gewaden, zonder wapens. Daarachter, rondom de wagen van de koning, rijden de lijfwachten van de koning op hoge paarden en met zilveren helmen, sommige puntig en andere met gele pluimen erop. Daarna volgen meer paarden en strijdwagens dan Itai ooit gezien heeft. En daarachter ziet hij rij na rij van boogschutters, de voorste met lichte bogen, de achterste met zwaardere, en nog weer verder naar achteren nieuwe troepen die geen bogen dragen, maar slingers: hij ziet de zware leren riemen naast hun zwaarden aan hun middel bungelen. Onstuitbaar glijdt de adder van geel en paars, de kleuren van het koninklijk leger van Assyrië, voor de stad langs.

Opeens – een bevel. Langzaam komt de massa strijders tot stilstand: eerst vooraan, onder de stadsmuur, dan in het dal, tot boven op de heuvel waar de rijen nog steeds komen. Even later staat de stoet stil.

Op de muur klinkt geen woord. Iedereen kijkt verstomd toe. Uit de kop van de stoet, vlak voor de koninklijke wagen, treedt een man naar voren. Itai strekt zich tot het uiterste om hem goed te kunnen zien. Wie is hij? Wat is hij? Hij draagt een duur purperen kleed en gouden oorringen, maar zo te zien geen wapens. Een priester van de afgod Assur? Hij schrijdt kalm de poortweg op. Het is een lange, trotse man met een kaal hoofd. Itai kan zien dat er iets om zijn hals op zijn borst hangt, een soort priesterlijk sieraad misschien. Hij loopt de weg op tot hij helemaal alleen tussen de stad en het leger in staat. Dan staat hij stil, de beide voeten ferm op het grind geplant. Hij heft zijn hoofd op naar de mensen op de muur. Een paar tellen staat hij daar rustig te wachten. Itai kan zijn ogen niet geloven: die man is of heel moedig of hij gelooft heel vast in zijn afgoden! Misschien is dat ding op zijn borst wel een afgod.

De man begint te spreken. Itai verwacht dat hij er niks van zal verstaan, maar opeens hoort hij de klanken van hun eigen taal. Een Assyriër die in het Hebreeuws een toespraak houdt, helemaal alleen voor de poort van Lakis! Geconcentreerd probeert Itai te begrijpen wat er gezegd wordt, maar hoewel de woorden bekend klinken, begrijpt hij de boodschap niet. Weer trekt hij vader aan de arm om uitleg. Weer krijgt hij alleen maar een strenge blik en een 'Stil!'

Rumoer op de muur. Wat gebeurt er? De Lakisieten die de boodschap wel begrijpen beginnen te mompelen, te protesteren, te schreeuwen.

'Nooit!'

'Onmogelijk!'

'Hier zal Assyrië spijt van krijgen!'

'Moge de God van Juda u straffen!'

Van alles wordt er geroepen, tot vervloekingen aan toe. Itai krijgt in de gaten dat boven de poort de gouverneur van Lakis moet staan – waarschijnlijk met Barak, Uzi en een aantal andere leiders. Hij kan ze niet zien of horen. Als het rumoer van de Lakisieten afneemt, fluistert vader hem eindelijk een snelle uitleg toe: 'Die Assyriër daar heeft Lakis uitgedaagd. Onze gouverneur geeft hem nu antwoord.'

Het antwoord is heel wat korter dan de uitdaging. Het geroezemoes op de muur zwelt weer aan. De lange Assyriër maakt een halve buiging en zonder één woord te zeggen keert hij zich om en loopt terug, de poortweg af. Een korte knik naar de koning in zijn strijdwagen, een signaal naar de voorste vaandeldragers ... Maar opeens: tjoengg! Het geluid van een pijl die ergens rechts van Itai uit de boog schiet en kletterend op de weg beneden valt. Vlak voor één van de Assyrische strijdwagens. Nu gaat de oorlog beginnen, denkt Itai! Nu gaan de Assyriërs als een stormwind over tot de aanval!

Maar weer zit hij ernaast. De Assyriërs lijken nauwelijks te reageren. De menner van de wagen die bijna geraakt is, kijkt rustig omhoog naar de toren waar de pijl vandaan gekomen is, draait zijn hoofd naar twee ruiters achter hem en knikt. Zonder dat de stoet ook maar een ogenblik inhoudt, ziet Itai dat de twee ruiters ieder een pijl uit de koker op hun rug trekken. Terwijl ze stapvoets door blijven rijden leggen ze aan en laten de pijlen vliegen. Een harde klap, een kreet. Geroezemoes vanuit de toren waar de schutter staat. En opeens een oorverdovend kabaal van geschreeuw en vervloekingen vanaf de muur van Lakis! Itai kan net langs de borstwering heen zien dat de beide Assyrische pijlen diep in het schild van de Judese schutter staan. Even lijkt het erop dat de soldaten van Lakis allemaal tot de strijd overgaan, maar een overste van dezelfde rang als Uzi is meteen ter plaatse. Stuurt hij de schutter van de muur af? Itai begrijpt het niet. Er klinkt een kort bevel aan de andere soldaten om zich rustig te houden.

De hele middag blijft de oorlog die Itai nu stellig verwacht uit. In plaats daarvan trekt de eindeloze stoet – het lijken wel duizenden soldaten – het dal in, de poort voorbij en inderdaad, naar het plateau waarvan Barak heeft gezegd dat het hun basis zal worden.

Het duurt uren voordat de stoet voorbij is. Achter de troepen ziet Itai nóg meer mensen – koks en allerlei andere bedienden, volgens vader – en een grote kudde schapen en geiten, gevolgd door rijen ossenwagens beladen met voorraden. Het ergste is wel dat de Assyriërs totaal niet onder de indruk lijken van de hoge stadsmuren en de vele soldaten die hen daar staan op te wachten. Ze nemen rustig de tijd om zich naar het plateau te begeven. En tot zijn stomme verbazing – hier heeft Itai echt nooit aan gedacht – gaan ze tegen het einde van de middag ijverig aan de slag om daar hun kamp op te slaan. Net alsof ze hun eigen loofhuttenfeest gaan vieren!

HOOFDSTUK 6

Op de zuidelijke stadsmuur

'Elohiem speelt een spelletje met ons.'
Een lange man die Akila vaak gezien heeft maar niet kent is
aan het woord. Het is vroeg in de ochtend, de tiende dag van Tisjri:
de vastendag Jom Kippoer. Akila staat met Noa, Adalja, Itai en zijn
familie en honderden andere Lakisieten op het pleintje voor de
offerplaats, naast het paleis. De gouverneur en de priester hebben
besloten dat de vastendag doorgaat. Akila voelt de honger al in
haar buik: vorig jaar was ze nog te jong om mee te doen, maar nu
moet ze met de rest van het volk de Judese vastendag in ere houden. Alleen de jongere kinderen en de wachtlopende soldaten zijn
vrijgesteld.
'Elohiem speelt een spelletje met ons', herhaalt de lange man als
niemand uit de menigte reageert. Ze staan te wachten op de priester die de heilige offers zal brengen. 'Op de dag waarop wij vasten
voor de vergeving van onze zonden laat Hij zijn straf op ons vallen.' De stem klinkt dreigender. Verschillende mensen knikken
instemmend.
'Wie zegt dat de komst van de Assyriërs een straf is?' vraagt een
ander. 'Straks zul je zien dat Elohiem ons helpt om de Assyriërs
als honden uit Juda te verdrijven. Juist omdat ze op de heilige dag
Gods volk hebben bedreigd!'
Akila kijkt weer naar de lange man om te zien hoe hij zal reageren.
Hij kijkt bedroefd. 'Heb je niet gehoord wat de profeet Jesaja in
Jeruzalem al jaren verkondigt?' antwoordt hij. Hij sluit zijn ogen
en zegt op zangerige toon: *'Elohiem ontsteekt in woede tegen zijn*

volk, hij heft zijn hand tegen hen op en slaat hen.'
Om de man heen valt het helemaal stil. De mensen lijken deze woorden te kennen. Akila niet. Ze port Itai in de zij, fluistert: 'Waar heeft hij het over?'
'Ssjt,' zegt hij, 'het zijn woorden van onze profeet, Jesaja.'
De man gaat verder: *'Hij heft de strijdvaandel op voor de Assyriërs. Hij hoeft maar te fluiten en ze komen van ver, spoorslags, vliegensvlug. Geen soldaat onder hen die van uitputting struikelt, klaarwakker zijn ze. Hun pijlen zijn gescherpt, hun bogen gespannen. De paardenhoeven vonken als vuursteen, de wagenwielen draaien als een wervelwind. Ze brullen als een leeuwin, ze grommen als een jonge leeuw die zijn prooi grijpt en meesleurt, en niemand die redding kan bieden. Op die dag zal heel Juda hen horen grommen, het zal klinken als een bulderende zee. Waar je ook kijkt: overal zal vijandige duisternis zijn, de zon is door wolken in duister gehuld.'*
De man stopt even, kijkt om zich heen en zegt: 'Die dag is gekomen.'
Akila kijkt omhoog. Duisternis? De hemel is strak blauw als altijd, de zon is ondanks het vroege tijdstip heet. Toch voelt ze een rilling over haar rug gaan. Heft Elohiem het vaandel voor de Assyriërs? Hoe kan dat? Terwijl de mensen onder elkaar beginnen te praten, vraagt ze het aan Itai.
'Ik heb zulke dingen wel vaker gehoord', zegt hij. 'Mijn vader spreekt geregeld van die profeet Jesaja. Maar precies weet ik het ook niet.'
Nu hij het zegt, Akila heeft Jatsar ook wel eens over een profeet gehoord. Die zegt dat de Judeeërs straf gaan krijgen van hun God omdat ze Hem niet gehoorzamen. Begrijpen doet ze het niet. Welke God zou zijn eigen volk niet in bescherming nemen tegen de vijand en diens goden? Ze begint zich af te vragen wie die Jesaja eigenlijk is. Zou hij de komst van Sanherib echt voorspeld kunnen hebben, zoals de lange man zegt? Zou Elohiem zoiets echt willen, zijn eigen volk afstraffen? En Akila heeft de Judese

God nog wel om hulp gevraagd. Ze begrijpt niks van Hem.

Wat een sombere dag, die vastendag. Alsof een hongerige maag en een vijandelijk leger haar niet chagrijnig genoeg maken, moet ze ook nog verplicht nadenken over alle verkeerde dingen die ze heeft gedaan, zodat Elohiem haar ervoor kan vergeven. Akila weet niks te bedenken. Ja, misschien een paar gemene opmerkingen. Moet ze daar vergeving voor vragen? Ze doet het stilletjes. Je weet nooit. De Judese God schijnt gedrag wel belangrijk te vinden. En ze geeft toe, leuk zijn ze niet, de opmerkingen die ze soms maakt. Bah, wat een nare dag.

Thuisgekomen zit Akila op de grond voor haar huis. Itai is met haar mee. Ze mogen niet spelen, maar samen niks doen is beter dan alleen niks doen.

'El-Natan is ziek geworden', zegt Itai.

'Wat heeft-ie?'

Itai haalt de schouders op. 'Koorts.'

Zielig voor die kleine, denkt Akila. Gelukkig mag hij nog wel eten.

Opeens staat Barak voor hen. 'In de benen, meisje', zegt hij. 'Jij ook, Itai. Jullie moeten iets doen.'

Beide kinderen staan meteen op. Dat doen ze altijd als Barak iets zegt, maar nu helemaal – alles is beter dan verplicht niksen.

Barak bekijkt hen alsof hij twee soldaten keurt. 'Jullie mogen met mij de muur op.'

'Echt?' Itai leeft ineens op. 'Nu?' Net iets voor hem natuurlijk.

'Dit is waarschijnlijk de laatste keer dat je veilig in de buurt van de muur kunt komen', zegt Barak. 'Het is goed dat jullie het zien.'

Noa komt uit de achterkamer schuifelen. Ze gaat ook mee. 'Als de strijd eenmaal begint, is het streng verboden om zelfs maar de straat op te gaan zonder toestemming van je vader of mij', zegt ze nerveus terwijl ze alle vier naar buiten lopen.

Itai praat de hele weg, maar Akila zegt niks. Ditmaal gaan ze niet naar de stadspoort maar naar de zuidelijke muur, tegenover het plateau waar de Assyriërs gelegerd zijn. Als ze de muur hebben beklommen, schrikt Akila. Rondom de hele stad, zover ze zien kan, staan om de twintig of dertig passen Assyrische wachtposten. Het Assyrische kamp zelf is enorm: het beslaat het hele plateau en een stuk van het veld erachter. Door de grootte lijkt het net zo onneembaar als Lakis zelf. Maar het ergste ziet ze daarna pas. Tegelijk met Itai en Noa.

'Oooh!' Ze slaat een hand voor haar mond. Het halve landschap lijkt wel verwoest! De wijngaarden zijn ruw omgehakt en uit het bos zijn tientallen, honderden bomen gekapt en weggesleept. Allemaal voor het Assyrische kamp en het oorlogstuig.

'Dat kunnen ze toch niet maken!' zegt Itai. Hij is net zo geschokt als zij. Maar ze snappen natuurlijk allemaal dat je een vijand moeilijk kunt vragen om alsjeblieft geen rommel te maken. Zo zíjn vijanden.

Akila voelt woede in zich opkomen tegenover de Assyriërs. Het lijkt wel alsof ze een grote, lelijke wond in het landschap rondom Lakis hebben geslagen. Ze wil ze wel vervloeken, die lui die alles maar kapot maken en de baas komen spelen over een land dat niet het hunne is. Hoe kunnen de goden dit toelaten? Ze leunt over de muur en kijkt neer op het kamp. Soldaten lopen af en aan. Er wordt getimmerd. Ze ziet een man op een stronk zitten. Wat doet hij? Door de afstand valt het krassende geluid dat hij maakt niet samen met zijn bewegingen. Ze vraagt het aan Barak. Hij hoeft niet eens te kijken.

'Dat geluid? Hij slijpt zijn zwaard.'

'Kijk daar, achterin', zegt Itai gespannen. 'Is dat het verblijf van de koning?'

'In die tent zit Sanherib in eigen persoon', zegt Barak. 'De man die heel de wereld onder zijn duim wil houden.'

'Kijk daar!' Akila trekt Itai aan de arm en wijst omhoog. Hoog boven hen, net als achter hen op het dak van het paleis van de gouverneur, zijn de vaandels van Lakis gehesen. Ze wapperen fier en vrij in de wind – een geklapper waar Akila en Itai meteen van opvrolijken.

'Moet je zien hoeveel hoger onze vaandels staan dan die van hen,' zegt Itai, 'en onze muur dan hun kamp!'

Akila lacht. Ze voelt zich opeens sterk. Een sterke Judese op de muur van Lakis! Ja, het voelt goed om hier op de hoogte te staan en neer te kijken op de vijand. De zon op je gezicht, de wind in je haren, de wapperende banieren. Bijna wil ze roepen: 'Kom maar op, stelletje boeven!' Maar zo veel lef heeft ze nou ook weer niet.

Ze kijkt met trots naar Barak, haar vader. De man die os en arend in één is. Hij leunt met een elleboog op de muur en kijkt bedacht-zaam naar de vijand. 'Juda is altijd maar een klein volkje geweest', zegt hij. Akila merkt dat hij iets wil uitleggen.

'Onze vijanden zijn groter en sterker dan wij. Zo is het altijd geweest.'

'Net zoals in jullie verhaal van de herdersjongen David en de reus Goliat?' vraagt Akila.

'Precies. Je bent al een echte Judese!' Hij draait zich naar haar toe, drukt zijn wijsvinger op de stenen muur en spreidt er de andere hand breed omheen. Zijn verweerde gezicht met de glimlach er dwars overheen lijkt net een van die gebarsten stenen in de muur. 'David en Goliat. En weet je wat het betekent, dat wij altijd kleiner zijn?'

Akila kan een glundering nauwelijks onderdrukken. Praten met Barak is beter dan de vloer vegen en water sjouwen, het maakt je geest wakker, en lenig. 'Ik denk ...' Ze kijkt over de muur naar de Assyriërs, perst haar lippen samen. Geen domme dingen zeggen nu. 'Het betekent dat Juda veilig is zolang het zorgt dat het sneller is en slimmer dan de vijanden, ook al zijn die sterker', zegt ze.

Barak zegt niks. Hij wacht af, het kleine hoofd bewegingloos op de dikke ossennek.

'Maar wat hebben we aan snelheid en slimheid als we opgepot in onze versterkte steden zitten en geen kant op kunnen?'

Akila denkt. 'Dan kun je niet veel meer bewegen, nee. Maar als je slim bent, heb je in vredestijd gezorgd voor goede versterkingen. Zoals in Lakis: een dubbele muur, een dubbele poort en veel wapens. En je hebt van tevoren listen bedacht om de vijand buiten te houden. Ze kunnen je misschien wel omsingelen, maar pakken kunnen ze je niet!'

Barak knikt. Hij is niet ontevreden. 'En wat heb je nodig om in die stad te overleven terwijl de vijand buiten tegen je muren beukt?'

In haar verbeelding hoort Akila de Assyriërs met grote boomstammen of stenen tegen de muren van Lakis beuken. Geschreeuw, geklap van hout op hout, steen op steen. Tja, wat moet je doen als ze proberen er met geweld in te komen? Nu weet ze 't niet goed meer. 'Je moet genoeg water hebben en genoeg eten', probeert ze.

Barak wil meer horen. 'Natuurlijk. Maar wat moet je dóen?'

Akila weet het even niet. 'De muren verdedigen en de moed niet opgeven?'

Barak leunt glimlachend achterover, één hand op de muur. Hij kijkt naar Akila. 'Moed is het enige wapen dat je nooit hoeft los te laten, dat heb je goed.'

'Maar wat kun je nog meer doen dan hopen en moed houden?' vraagt Akila.

'Vechten als een bergkat in het nauw', zegt Barak kort en terwijl hij het hoofd afwendt en in de verte tuurt, ziet Akila dat hij in zijn gedachten terug is bij een ooit gestreden strijd.

Hij kijkt weer naar haar, legt zijn hand op haar haar. 'Ik ben blij dat je bij ons hoort, Akila', zegt hij. 'Als de helft van onze bevelvoerders zo wakker en zo dapper zijn als jij, hebben we weinig te vrezen.'

Opeens komt Itai's stem ertussen. 'Hee, kijk, daar is Uzi!' Itai zwaait in de richting van de poort. Uzi komt langs de borstwering hun kant op. Barak blijft staan.

Er is iets. Akila ziet het meteen aan Uzi.

'Sjalom Uzi', zegt Barak. 'Een boze dag voor Lakis.' De twee krijgers schudden elkaar stevig de hand.

'Sjalom, Barak. Een dag van bitterheid voor Juda.' Uzi kijkt uit over de kaalslag die de Assyriërs hebben gepleegd. Hij schudt het hoofd. 'Adalja's olijfboomgaard aan de noordkant hebben ze ook al verwoest. En de bomen eromheen ook zowat.'

Akila hoort het aan zijn stem. Er is echt iets.

'Waarom gaan we ze niet aanvallen terwijl ze nog niet klaar zijn?' vraagt Itai ongeduldig. 'Nu rekenen ze er niet op.'

Geen van de twee mannen geeft antwoord.

'Waar is Adalja?' vraagt Noa. 'Ik heb haar vanochtend bij de heilige samenkomst niet gezien.'

Uzi kijkt onrustig de andere kant op. Akila heeft hem nog nooit zo gezien – hij lijkt wel ziek of zoiets. 'Daar wilde ik jullie over inlichten', zegt hij.

Zijn stem is ook anders. Het gaat dus over Adalja.

'Inlichten?' Barak en Noa en ook Itai kijken de strijder vragend aan.

Uzi kijkt Barak even in de ogen en wendt zijn blik dan af naar het vijandelijk kamp. 'Ik heb haar weggestuurd. Ze is niet meer in de stad.'

Akila weet niet wat ze hoort. Adalja!

'Hoe bedoel je, weggestuurd?' Baraks stem is de stem van de opperbevelhebber.

Uzi zoekt naar woorden. 'Ik heb al vele dagen een slecht voorgevoel. Niet over Lakis. Ik ben niet bang voor de strijd. We zullen de Assyriërs ervan langs geven, zo helpe ons Elohiem. Het is Adalja. Ik had een voorgevoel dat haar iets zou overkomen. Ik wilde niet dat ze hier bleef.'

'En?' vraagt Barak. Hij kijkt Uzi streng aan.

'Toen gistermiddag iedereen naar de komst van de Assyriërs stond te kijken is zij via de oostkant van de stad het veld in gevlucht. Mijn hart zegt me dat ze daar veiliger is.'

'En Ronen?' vraagt Noa met wijdopen ogen en een weifelende blik naar haar man.

'Die is mee.'

Noa schudt het hoofd. 'Zijn ze naar Motsa en Rachel?'

Uzi schudt het hoofd. 'Zolang de Assyriërs in de buurt zijn, is geen enkele stad veilig voor een jonge vrouw. Ik heb haar gezegd dat ze in het veld moet zien te overleven totdat duidelijk wordt hoe deze zaak afloopt.'

Stilte. Akila durft niks te zeggen. Zelfs Itai houdt nu zijn mond. Wat gaat Barak doen?

Akila ziet dat hij zijn koers al heeft bepaald. 'Kom voor mij staan, Uzi.' Hij spreekt laag en zacht, bijna grommend. Akila en de anderen wijken vanzelf een stap achteruit.

Uzi gehoorzaamt.

Barak legt een hand onder zijn kin. 'Je gaat dadelijk naar huis zonder iemand te spreken. Je dienst voor deze dag draag ik aan een ander over. Vandaag wil ik je niet meer zien. Je blijft tot morgen in je huis, na de ochtendwacht meld je je bij mij. Begrepen?'

Uzi knikt. 'Ja, heer.'

Barak laat Uzi's kin los en doet een stap naar achteren. 'En nu zal ik je laten voelen wat jij ons hebt laten voelen.'

Uzi kijkt vragend op en nog voordat iemand in de gaten heeft wat er gebeurt, vliegt de zware, gebalde vuist van Barak naar zijn kaak. Uzi's bovenlichaam klapt naar achteren, hij wankelt, weet zich nog net aan de muur op te houden. Maar in twee tellen herstelt hij zich, gaat staan, de mond pijnlijk gesloten. Hij recht zijn rug, knikt naar Barak, draait zich om, loopt weg. Barak loopt ook weg.

HOOFDSTUK 7

De pijl die voor Itai bestemd was

Itai heeft zich nog nooit zo verveeld als nu. Na de sombere vastendag kruipen de uren en dagen voorbij. En over de dagen die
het langst duren, valt vaak het minst te vertellen. Itai mag nauwelijks het huis uit – en al had het wel gemogen, hij heeft inmiddels
genoeg ontzag voor de Assyriërs om te beseffen dat hij weinig
kan bijdragen. Uit zijn kleine linnen gordeltasje pakt hij een klein
staafje klei ter grootte van een halve pink. Hij heeft het de vorige
middag gerold en er voordat het de steenoven in ging wat tekens
in gekerfd: het grootste teken stelt de kop van een leeuw voor,
eronder staat in Hebreeuws schrift 'LKS', voor Lakis. Het is Itai's
eigen zegel. Hij stopt het weer terug. Hij voelt zich allang geen
leeuw van Lakis meer. Eerder een welpje dat bij zijn moeder moet
blijven. Met El-Natan kan hij niet spelen, want die blijft maar
ziek. In de pottenbakkerij is ook haast niks te doen. Itai's vader is
ingedeeld in één van de wachtploegen op de oostelijke muur; af
en toe draait hij nog een paar potten, maar veel is het niet. Zelfs
het bericht over de eerste schermutselingen langs de zuidelijke
muur de dag na Jom Kippoer heeft Itai weinig opwinding
bezorgd. Hij heeft al zó lang zó gespannen afgewacht, hij is moe
en afgemat. De strijd is zo anders dan hij zich had voorgesteld.
Het is alleen maar wachten, wachten, wachten – en zijn moeder
helpen met klusjes die ze net zo goed alleen kan doen. Gek wordt
hij ervan.
'Ga een paar lege potten en graanzakken uit de werkplaats halen,
dan stoppen we dit erin', zegt zijn moeder tegen hem. Ze spreidt

etenswaren op tafel uit: broden, gedroogd fruit, vijgenkoeken, een kruikje honing, waterzakken.

Itai kijkt haar verbaasd aan. 'Waarom wil je eten inpakken? We gaan echt geen Soekot vieren, hoor!'

'Nee, je hebt gelijk, we gaan zeker geen Soekot vieren.'

'Maar waarom wil je dan alles inpakken? Wat er is aan de hand?'

'Ga eerst die spullen halen, dan leg ik het uit', zegt ze. 'En als je toch bezig bent: je mag ook je vaders handgereedschappen uit de werkplaats in een zak stoppen en hier brengen.'

'Maar waarom dan?' vraagt Itai. Ze zwijgt hardnekkig.

Een poosje later komt hij terug met een grote aarden pot tussen zijn armen en daarin een paar graanzakken. 'De gereedschappen zoek ik zo wel, ik kon niet alles in één keer dragen.'

Hij zet de pot naast de tafel neer. Zijn moeder begint intussen ook huisraad uit te stallen. 'Wat is dit? Wat ben je allemaal aan het doen?' vraagt hij.

Ze draait zich om naar hem, zet haar handen in de zij en zucht. 'Je weet nog wat er met ons broedervolk in het noorden is gebeurd?'

Itai kent het verhaal maar al te goed; het is vaak verteld. Maar nu wil hij het graag opnieuw horen. Voor het eerst lijkt het meer dan een oud verhaal over vroeger: wat toen ver weg in het noordelijker gelegen koninkrijk van Israël is gebeurd heeft opeens heel veel te maken met wat er vandaag gaande is in zijn eigen leven, hier in Lakis.

'Je vader en ik waren nog kinderen toen het noordelijk rijk werd aangevallen door Assyrië', vervolgt zijn moeder. 'De hoofdstad Samaria werd drie jaar lang belegerd. Drie jaar! En al die tijd dacht ons volk zeker te weten dat ze nooit weggevoerd zouden worden naar Assyrië. Maar nu,' ze opent haar handen in een gebaar van onmacht, 'nu zitten ze toch in Assyrië. Er is er nog niet eentje teruggekeerd. Hun hoofdstad ligt al twintig jaar in puin.'

Itai is verontwaardigd. 'Denk jij soms ook al dat Lakis de oorlog gaat verliezen, net als Uzi?'

'Uzi heeft nooit gezegd dat we de oorlog gaan verliezen', zegt zijn moeder fel. 'Hij is een van onze moedigste mannen.'

'Okee, maar waarom ben je dan alles aan het inpakken en waarom praat je over de val van Samaria? Ben je bang?'

'In mijn huishouden hoeft niemand bang te zijn voor slecht nieuws', zegt zijn moeder. Het klinkt als een bevel. 'Nee, bang hoeven we niet te zijn', gaat ze verder. 'Ik geloof in onze mannen, onze muren en onze God. Maar laat ik je dit zeggen, Itai. Als Elohiem ons in ballingschap laat gaan, gaan wij voorbereid op reis.'

'Maar ima ...!'

'Geen gemaar, Itai. Ga nu de gereedschappen van je vader maar sorteren. Wie weet zul je me nog dankbaar zijn.'

In de werkplaats heeft Itai een paar mesjes en een lomer in de hand, maar hij is zo in gedachten verzonken dat hij ze weer neerlegt, naar buiten wandelt en op het erfje voor zich uit gaat zitten staren. Hij kan niet geloven dat moeder serieus voorbereidingen treft voor een reis naar Assyrië! Dat ze er zomaar over praat. Alsof het alleen maar een weersverandering is of zoiets! Zelf kan hij er niet eens aan denken. Met tegenzin probeert hij zich er een voorstelling van te maken: de deur voorgoed achter je dicht trekken, de straat waar je altijd hebt gewoond vaarwel zeggen ... Maar in zijn gedachten blijft de deur uitnodigend open en komt hij niet verder dan het erf: daar loopt zijn verbeelding al vast. Geen enkel beeld kan hij zich ervan vormen, zelfs het woord ballingschap lijkt een klank uit een vreemde taal. Het enige leven dat hij zich kan voorstellen is hier thuis, in Lakis, in de Sjefela. Het land dat Elohiem zijn volk gegeven heeft.

's Middags zit hij nog steeds op het erf te niksen als Akila langskomt. Zij heeft genoeg te doen: haar moeder moet een eenheid soldaten van voedsel en drinken voorzien en Akila moet helpen. Itai is jaloers dat zij erop uit mag, maar tegelijk blij haar te zien.

'Hoe is het buiten?' vraagt hij.

'Niet leuk', zegt Akila. 'Iedereen is gespannen en het enige dat je hoort zijn nare geluiden.'

'Wat dan?'

'Nou, gehak van bijlen, geroep. De Assyriërs zijn op sommige plekken langs de muur een belegeringshelling aan het aanleggen.'

'Een wat?'

'Een belegeringshelling. Een soort aanvalsdam. Een grote berg van aarde en stenen die ze tegen onze stadsmuur opwerpen om straks hun oorlogstuig naar boven te rollen.'

'Maar schieten onze soldaten dan niet op hen als ze dicht bij de muur komen?' vraagt Itai verontwaardigd.

'Jawel, er wordt flink gevochten. Volgens Barak geven we hen er flink van langs. Maar we houden de Assyriërs niet tegen, ze zijn met zo veel. En ze hebben reusachtige schilden waar ze achter schuilen. Met die dingen komen ze tot vlak onder onze muur. Eén van onze grote katapulten is al afgebrand door een salvo van vuurpijlen die ze afschoten.'

Nu begint Itai het weer spannend te vinden. Hij wil dat allemaal wel eens zien. 'Dat oorlogstuig, waar Uzi het over had, weet je daar al iets van? Hoe het er uitziet, wat ze ermee doen? Heb je 't gezien?'

'Ik heb het zelf niet gezien, want ik kom natuurlijk niet op de muur', zegt Akila. 'Maar Barak wel. Ze waren het gisteren in hun kamp aan het optuigen, zegt hij.'

'Echt waar? Hoe ziet het eruit? Wat is het dan? Zullen we vragen of we mee mogen om het te zien?'

Itai springt al half overeind, maar zijn moeder komt scherp tussenbeide. 'Geen sprake van. Jij komt pas weer bij die muur in de buurt als de Assyriërs het land uit zijn. Geen moment eerder.'

'Hoe zien ze eruit dan, die oorlogsmachines?' vraagt Itai aan Akila, terwijl hij weer gaat zitten.

Akila zoekt naar woorden. 'Jullie hebben een soort eh ... een soort monster in Juda, klopt dat?'

Itai kijkt haar niet-begrijpend aan.

'Het monster Levi-nog-wat', vervolgt Akila.

'Oh, je bedoelt Leviatan, de kronkelende draak[5]', zegt Itai lachend.

'Klopt. Ik heb hem nooit gezien, maar iedereen kent 'm uit de verhalen ... Wat is daarmee dan? Doet die ook mee? Dan wel aan onze kant, hoop ik!'

Akila grinnikt. 'Nee, ezel. Maar volgens Barak lijkt het oorlogstuig van de Assyriërs op dat monster van jullie – maar dan met wielen!'

Itai kijkt haar aan. Leviatan de draak? Op wielen?

'Je maakt toch geen grapjes, Akila?' vraagt Itai's moeder, die haar nu ook vragend aan kijkt.

'Echt niet', zegt Akila. 'Het zijn volgens Barak grote, hoge wagens, bepantserd met dierenhuiden. Die rollen ze tot vlakbij de muur, met soldaten erin. En in sommige hangt aan kettingen ook nog een grote stormram waarmee ze willen proberen de muur of de poort kapot te rammen. Zo hebben ze in het noorden ook steden kapot gemaakt.'

'Ai, ai', zucht Sjamira en ze schudt zacht het hoofd. 'Ik hoop maar dat Elohiem ons snel te hulp komt ...'

'Wat gaat Barak eraan doen?' wil Itai weten. 'Wat kún je tegen zoiets doen?'

Akila legt de armen over elkaar en zegt beslist: 'Moed houden, je verstand gebruiken en vechten als een bergkat in het nauw.'

Itai is onder de indruk. 'Heb je dat van Barak?'

'Een beetje', zegt ze lachend. 'En een beetje van mezelf.'

Jatsar komt het erf op lopen. 'Zo, mensen. Hoe gaat het hier?'

'Abba, we hadden het net over het oorlogstuig van de Assyriërs', zegt Itai. 'Volgens Akila zijn het een soort monsters op wielen.'

Jatsar gaat rustig op een steen zitten. Hij schudt het hoofd, de grote baard schudt traag mee. Dan zegt hij een beetje plechtig: *'Zij*

---

5 Leviatan is volgens sommige oudheidkundigen een krokodil, maar anderen zien hem als een mythologisch monster. Hij wordt in de Bijbel ook een paar keer genoemd.

zullen hun zwaarden omsmeden tot ploegijzers en hun speren tot snoei-
messen. Geen volk zal nog het zwaard trekken tegen een ander volk,
geen mens zal meer weten wat oorlog is ...'
'Wat is dat?' vraagt Akila. 'Waarom zegt u dat?'
'Het zijn woorden van de profeet Jesaja', antwoordt Itai's vader. 'Ik
moest eraan denken toen op Jom Kippoer iemand over Jesaja
sprak.'
'Zal die dag werkelijk komen,' vraagt Sjamira, 'de dag dat zwaarden worden omgesmeed tot ploegen en dat mensen als Sanherib
niet meer zullen optrekken tegen andere volken maar alle mensen
tevreden naast elkaar zullen leven?'
Jatsar zucht diep. 'Die dag zal zeker komen. Maar niet vandaag.
Niet in Lakis. Vandaag is een dag van oorlog. En wij zijn verwikkeld in die oorlog – of we 't willen of niet.'
Er valt een diepe stilte. Itai kijkt naar de bedroefde ogen van zijn
vader, dan naar zijn gespierde bovenarmen: armen waarmee hij de
mooiste potten van de Sjefela maakt maar waarmee hij nu tegen
zijn zin een boog hanteert op de muur van een bedreigde stad.
Oorlog. Nog maar een paar weken geleden leek het een groot
avontuur; nu zou Itai willen dat hij er nooit van gehoord had.
'Barak heeft bevel gegeven tot de aanleg van een binnenwal langs
de zuidelijke en westelijke muren,' vertelt Itai's vader, 'op de twee
plekken waar de Assyriërs hun aanvalsdammen aanleggen. Daar
concentreert zich de strijd.'
'Wat is een binnenwal?' vraagt Akila.
'Een extra verdedigingsmuur aan de binnenkant van de stadsring',
zegt Itai's vader. 'Van hoog opgestapeld zand, stenen en puin.' Hij
kijkt naar Sjamira. 'Ze zijn er de opslagplaats van Simi al voor aan
het slopen.'
'Wat?' roept Itai. 'Slopen? Gaan ze onze eigen gebouwen slopen?'
Zijn vader knikt. 'Ja, jongen, ik weet het, het is niet prettig om te
horen. Maar elke steen die we tussen ons en die Assyriërs kunnen
opstapelen is er één.'

Akila maakt aanstalten om te gaan staan, maar aarzelt. Het lijkt alsof ze iets wil vragen maar niet durft, denkt Itai. Ze kijkt van Sjamira naar Itai naar Jatsar. Hij wenkt haar met het hoofd om iets te zeggen. Ze schraapt haar keel.

'Ik moest eigenlijk water halen uit de put,' zegt ze terwijl ze gaat staan, 'en ik mocht van Noa vragen of Itai mee mag. Normaal haalt Zera het, maar hij is te druk en Noa heeft het nodig.'

Itai grijpt meteen zijn kans. 'Ja, mag het, abba?' Hij mijdt zorgvuldig de blik van ima, want die zegt vast nee. 'Alstublieft, abba? We zijn zo terug.'

Ima wil antwoord gaan geven, ze antwoordt altijd als snelste. 'Toe, abba', dringt hij aan. 'De put ligt aan de noordkant en u zei net zelf dat alleen de zuid- en westkant gevaarlijk zijn.'

Vader kijkt naar moeder, moeder naar vader. 'Ik vind het goed,' zegt hij, 'zolang je niet voorbij de put gaat en snel terugkomt.'

Moeders wenkbrauwen gaan omhoog en drukken diepe rimpels in haar voorhoofd. 'Oi, Jatsar, je geeft die jongen te vaak zijn zin. Als je maar voorzichtig bent, Itai, als je maar voorzichtig bent.'

Itai is al overeind gesprongen, hij heeft zijn energie weer teruggevonden. 'Kom, we gaan!'

Huppelend als een lammetje in de lente vergezelt Itai Akila naar de put. Ze dragen ieder een lege kruik. Langs het paleis van de gouverneur, waar de banieren hoog in de middagwind wapperen, langs de kleinere soldatenverblijven die in keurige rijen een flink deel van de noordelijke stadshelft vullen. Er is haast niemand op straat. Vanaf een kruising wijst Akila naar links en naar achteren. 'Kijk, vanaf hier kun je de soldaten op de muur zien.'

Itai kijkt. Wat een stoer gezicht! De lange muur, de stevige bastions en de ruggen van de Judese soldaten steken scherp af tegen de wijde, blauwe hemel daarachter. Hoe zouden de Assyriërs daar ooit tegenop kunnen!

'Ik wou dat we de poort en de zuidelijke muur konden zien', zegt hij. 'Kun je ze zien schieten als je daar in de buurt komt?'

'Je ziet soms zelfs pijlen van de Assyriërs vliegen', zegt ze. 'Eén keer toen ik de soldaten brood ging brengen, vloog er eentje over mij heen en landde op het dak van een huis achter mij.'

Itai kijkt haar vol ontzag aan terwijl ze verder lopen.

Voorbij de laatste woningen is een open plek van ongeveer een steenworp breed, aan de achterkant begrensd door de stadsmuur. De muur komt hier maar tot schouderhoogte, maar erachter valt de grond een stuk dieper weg. Midden in de vlakte staat de waterput. Itai en Akila lopen er zwijgend op af. Hier bij de put is het altijd rustig vergeleken met de binnenstad. Zelfs de wind is hier stiller. Itai hoort alleen het gefladder van de duiven boven de put.

De duiven vliegen klapwiekend op en Itai laat de eerste kruik aan het touw zakken. Als de kruik de waterspiegel raakt, breekt het beeld dat hij van zichzelf ziet in scherven. Hij glimlacht. Straks zal het weer heel worden. Hij hoort het water in de kruik klokken, voelt het touw trekken. Bijna vol.

'Doe jij de tweede?'

Terwijl Akila de tweede kruik laat zakken, kan Itai de verleiding niet weerstaan om heel even naar de muur te lopen. Hij wil weten hoe het voelt om als een echte soldaat op de uitkijk te staan. Hij loopt erheen. Het voelt spannend. In de verte, voorbij de muur, ziet hij om de dertig of veertig passen een Assyrische wacht: de belegeringsring die ze om de stad hebben gelegd. Hij loopt dichter naar de muur. Wat is dat voor geluid? Een vallende steen. Itai kijkt achterom naar Akila.

'Deed jij dat?'

'Wat?' vraagt ze. 'En wat doe je daar trouwens? We mochten niet voorbij de put!'

'Gooide jij die stee... Akila!' Hij gilt van schrik en met het geluid dat uit zijn keel komt, lijkt alle kracht uit zijn lijf verdwenen: stokstijf staat Itai stil. Het ene ogenblik heeft hij achter de stadsmuur iets zien bewegen, het andere ogenblik is met een lenige sprong een soldaat op de muur gesprongen. Een grote gewapende

Assyriër, snel gevolgd door een tweede! Nog een sprongetje en ze staan op de grond van Lakis, hun bronzen helmen blinkend in de zon en ieder met een pijl op de boog. Ze maken geen enkel geluid. Itai ziet uit een schuin oog dat Akila achter de put is gedoken. Hij moet ook wegduiken, schreeuwen, rennen – maar niks lukt. Hij ziet maar één ding: een vlijmscherpe pijl die op zijn voorhoofd gericht staat. Een enkel ogenblik lijkt alles weg te vallen – elke beweging, ieder geluid, Itai's eigen adem en gedachten, het leven zelf – niets bestaat, alleen de pijlpunt, en daarachter de gespierde arm die de boog spant en het toegeknepen oog van de gehelmde Assyriër.

Een suizend geluid, een klap, en dan een wilde toestand van herrie, beweging, verwarring. Is de pijl los? Is Itai geraakt? Voelt hij iets? Valt hij? Hij wankelt tegen de stadsmuur, maar iets voelen, nee. Wat gebeurt er? Geroep, snelle voetstappen. Komt de Assyriër hem de doodsklap geven? Nee, de Assyriër ... ziet Itai hem ook wankelen? Itai hoort op afstand een mannenstem zijn eigen taal spreken. 'Snel! Laat ze niet ontsnappen! Omsingel hen!'

Itai kan zijn oren en ogen niet geloven. Hij ziet aan de verste rand van het plein Uzi met – wie is dat? – Harad de linkshandige! En Segev! Elohiem zij geprezen, Uzi heeft de geheime uitval van de Assyriërs kennelijk doorgehad! Of is het te laat? Angstig kijkt Itai naar zijn eigen borst, zijn benen. Hij voelt nog steeds niks, is hij dan niet geraakt? Opeens ziet hij dat het de Assyriër is die geraakt is, met een pijl in de schouder. Itai is gered! Door Uzi, de leeuw van Lakis! Of toch niet? De Assyriër komt op hem af, wat moet hij doen? In paniek klautert Itai op de muur, kijkt een ogenblik over de steile rand naar de met gras begroeide helling beneden. Het moet. Hij laat zich van de muur rollen. Met een pijnlijke klap op zijn knie valt hij in het gras en buitelt verder naar beneden tot hij in het diepe dal vlak bij de boomgaard eindigt.

Heel even is het geluid van de roepende soldaten boven hem vervaagd. Wat nu? Duizelig tuurt hij omhoog. Daar komt nog iemand

de muur op, een stukje verder naar het westen. Zwarte haren, een paar smalle schoudertjes. Een sprong en weer valt er iemand van de muur en tuimelt de graswand af het dal in. Akila! Zit de tweede Assyriër haar dan achterna? Hij is ook al half over de muur terwijl een Judese pijl zingend van zijn helm ketst en de boomgaard in duikt. Een kreet, is hij geraakt? De andere Assyriër, de pijl nog steeds in de schouder, laat zich ook over de stadsmuur rollen. Beide mannen landen op de hurken onder aan de muur en sluipen er dan behoedzaam met het schild boven het hoofd onderlangs. Hebben ze Itai of Akila gezien? Uzi, Harad en Segev rennen over de muur en bestoken de twee indringers van boven met een regen van pijlen – hun schilden lijken wel stekelvarkens, zo veel pijlen staan erin.

Valt er een? Itai ziet een helm het dal in rollen.

'Itai!' Akila roept hem. Ze is overeind gekomen en de boomgaard in gerend. Ze wenkt hem. 'Wegwezen!'

Zonder zich een moment te bedenken volgt hij haar de boomgaard in. Onder het rennen ziet hij dat veel van de bomen gekapt zijn, het is een ravage. Dieper de boomgaard in stoppen ze even, zwaar ademend, Itai met beide handen op de bezeerde knie.

'Er zijn nog meer Assyrische soldaten!' zegt Akila, wijzend.

Itai kijkt. Twee, drie Assyriërs met grote, rechthoekige schilden voor zich hebben hun plaats in de belegeringsring verlaten en snellen naar de plek waar Uzi en de anderen op de muur stonden. Nu zien ze alleen hun gehelmde hoofden boven de muur uitsteken.

'Itai!' Itai hoort Uzi zijn eigen naam roepen. 'Itai!'

Hij en Akila kijken elkaar verschrikt aan. Wat moeten ze doen? Een weg terug is er niet.

Uzi is weer bovenop de muur gesprongen. Wat? Hij springt eraf! Harad volgt, beiden het schild in de ene en het getrokken zwaard in de andere hand. Achter hen geeft Segev vanaf de muur dekking met zijn boog. Als verstomd kijken Itai en Akila toe hoe Uzi en

Harad met zijn tweeën in volle vaart op de vijf Assyriërs afstormen, zonder inhouden, zonder angst.

'Voor Itai, voor Akila en voor Lakis!' buldert Uzi en hij stort zich in dolle vaart op de eerste Assyriër die hem in de weg komt. Een klap van metaal op hout, geschreeuw, Itai durft nauwelijks te kijken.

'Er komen er nog meer!' Akila sjort Itai zo hard aan de arm dat hij bijna omvalt.

Van de westkant van de boomgaard, waar Itai ook een wachter heeft gezien, komt nog een Assyriër op het strijdtoneel afrennen.

'Wat moeten we doen?' vraagt Akila.

Weer horen ze boven geschreeuw en wapengekletter uit Uzi's stem. 'Itai, Akila! Vluchten! Nu!'

Nu trekt Itai Akila aan de arm. 'Wegwezen!' roept hij. En als hazen vliegen ze door kaphout en kreupelhout, verder, alsmaar verder, zonder denken, zonder omkijken. Naar het oosten, over de bedding van de Nachal Lakis[6], de wal op, tussen de struiken door die daar in een ondiep dalletje groeien, om een knik in het dal heen naar een ander dichtbegroeid dal, rennen, vliegen, springen, tot Itai's knie bijna lijkt te breken en zijn longen bijna barsten, tot ze ver, ver weg zijn, veilig uit het zicht van de stad en de Assyrische belegeringsring. Helemaal buiten adem.

En helemaal buiten de stad.

[6] De Beek van Lakis. 's Winters en in de lente kan er behoorlijk veel water in stromen, maar 's zomers is het maar een klein beekje of droogt het zelfs helemaal op.

HOOFDSTUK 8

Een nachtelijke rooftocht

Zittend in het gras achter een struik proberen Akila en Itai wat bij te komen van de vlucht. Akila ziet dat Itai een flinke schram op zijn elleboog heeft en dat hij met beide handen zijn knie omklemt.

'Gaat het?' fluistert ze. Hoewel ze ver van de stad zijn, is ze bang om geluid te maken.

'Niet echt', antwoordt Itai met een vertrokken gezicht.

Akila kijkt om zich heen. Ze zijn één heuveltje verwijderd van het pad naar Maresa. Op handen en voeten kruipt ze een stukje de helling op. Lakis! Ze ziet de oostelijke muur, daarachter het paleis met de wapperende banieren. Van de noordelijke muur ziet ze alleen de bovenste richel. Ze klimt iets verder omhoog. Hoort ze het geluid van vechtende soldaten? Ze ziet in ieder geval niks. Hee! Wat is dat?

'Itai! Kom vlug!'

Steunend kruipt hij naar haar toe.

'Er klimt iemand op de muur!' Akila knijpt haar ogen toe om het beter te zien. 'Er staan twee mannen op de muur een derde omhoog te trekken. Het zijn geen Assyriërs, aan de kleuren te zien! Oh – weg. Ze zijn achter de muur verdwenen.'

Akila geeft Itai van opwinding een klap op de rug.

'Au! Je doet me pijn!'

'Sorry! Maar Itai, ik weet zeker dat dat Uzi was en Harad en Segev! Ze waren toch met zijn drieën? Dat betekent dat ze het van die

Assyriërs gewonnen hebben: ze zijn weer veilig in de stad! Onge-looflijk!'

Van dat bericht lijkt Itai ook wat te ontspannen en zijn pijnlijke knie te vergeten. 'Ja ... Trouwens, zag je dat, hoe Uzi van de muur sprong en zo op hen af stormde? Net een echte leeuw!'

'En dat hij die Assyriërs nog verslagen heeft ook!' zegt Akila. 'Het waren er wel zes, misschien wel meer! Zeven, acht!' Ze slaakt een zucht van bewondering en denkt opeens aan Adalja en Ronen: wat een geluk dat zij een man als Uzi hebben die hen beschermt! 'Nu snap ik waarom ze hem de leeuw van Lakis noemen ...'

Ze leunt achterover op haar ellebogen in het gras en haalt diep adem. Wat een middag ... Ineens schiet ze weer naar voren en geeft Itai een por.

'Au! Kijk toch eens uit!' zegt hij weer fronsend.

'Sorry. Maar ik dacht alleen, wat moeten we nu doen? We zitten hier wel op een veilige afstand, maar wat nu?'

Itai klemt zijn knie weer tussen twee handen. 'Weet ik toch niet!'

Maar Akila ziet de boosheid op zijn gezicht plaatsmaken voor bezorgdheid: ook hij begint te beseffen dat ze in de problemen zitten.

'Misschien komt Uzi ons wel zoeken', probeert Akila.

'Reken er maar niet op', antwoordt Itai. 'Nu ze weten dat wij ont-snapt zijn, hebben de Assyriërs hun ring van wachtposten rondom de stad helemáál op slot gezet. Daar komt niemand meer langs, zelfs Uzi niet.'

Akila spreekt langzamer. 'Dus ... kunnen wij ook niet terug naar de stad?'

Itai schudt het hoofd. 'Volgens mij niet.'

'Maar we kunnen hier ook niet blijven', zegt Akila.

Ze kijken elkaar aan. Er valt een gespannen stilte terwijl ze beiden proberen hun angst de baas te worden. Buiten de stad! Afgesne-den van iedereen! Waar moeten ze naartoe?

Itai is de eerste die iets zegt. 'We zitten te dichtbij de Assyriërs.

Volgens mij moeten we verder het veld in om een schuilplaats te zoeken.'

'En dan?' vraagt Akila.

'Weet ik ook niet precies. Afwachten. Als onze soldaten straks de Assyriërs hebben verslagen kunnen we wel weer terug.'

Akila kijkt hem twijfelend aan. 'Maar dat kan nog wel dagen of weken duren!'

'Wat wil je anders?' zegt hij ongeduldig. 'Je weet toch dat ze ons niet kunnen komen redden?'

Ze knikt langzaam.

'Dus moeten we onszelf zien te redden.'

Akila slikt. Itai kan knap chagrijnig doen, maar hij heeft tenminste wel ideeën. Ze probeert nu zelf ook mee te denken over de oplossing. Meteen krijgt ze een ingeving. 'Zullen we naar Maresa lopen? Naar Adalja's ouders?' En meteen volgt een nieuwe gedachte. 'Adalja!' zegt ze en doet gauw haar hand over haar mond omdat ze bang is gehoord te worden. Met zachtere stem: 'Adalja loopt hier misschien ook wel ergens rond, met Ronen!' De hoop die ze van binnen voelt opkomen ziet ze ook op Itai's gezicht. Adalja! Stel je voor dat ze haar kunnen vinden ...

'In elk geval gaan we dus niet naar Maresa, want Uzi zei dat Adalja daar ook niet heen ging', zegt Itai.

'Waar zou ze dan zijn?' vraagt Akila hoopvol en ze kijkt om zich heen alsof Adalja vast vlak in de buurt is. 'Uzi zei dat ze zich ergens schuil ging houden.'

Itai knikt. 'Niet te ver weg, want ze wil weten hoe het met Lakis afloopt. En niet te dichtbij, om niet gepakt te worden.'

Even is het stil. Dan zegt Akila: 'We moeten in ieder geval weg van de stad. Zullen we de beek volgen? Dan hebben we ook water.' Terwijl ze het zegt, beseft ze dat dat hun volgende probleem wordt: ze hebben geen eten en drinken bij zich, niks! Maar ze zegt er niks over: dat is van later zorg.

'Als we dit dalletje uitlopen en dan naar rechts gaan, komen we weer bij de beek', bevestigt Itai. 'Als we die een eind volgen, komen we bij de Migdal Gad[7]. Daar kunnen we vast een goede schuilplek vinden. En vanaf de Migdal kunnen we Lakis ook goed in de gaten houden.'

'Zullen we maar meteen gaan?' Akila reikt Itai een hand vanwege zijn pijnlijke knie, maar hij krabbelt zelf overeind.

Zwijgend lopen ze het dalletje uit, achter een helling langs, richting de Nachal Lakis. Het is stil op het veld. De zon daalt. Af en toe kijkt Akila om, maar Itai leidt hen langs een route die hen uit het zicht van de stad houdt. Een poosje later komen ze bij de beek. Ze ploffen neer om zich te verfrissen. Het beekje is nauwelijks een voetstap breed en een kinderhand diep, maar het water is schoon en koel.

'We hebben geluk dat er water is', zegt Itai. 'Vaak staat de Nachal rond deze tijd helemaal droog.'

Ze rusten uit, stil. Itai hijst zichzelf even later overeind en loopt een stukje stroomopwaarts, waar de oevers wat steiler oprijzen. Hij verdwijnt achter een bocht in het stroompje. Akila blijft zitten. Hoog boven haar kleurt de lucht zilverblauw. De wind is gaan liggen. Bijna avond. Dan zal het nacht worden. Ze zijn alleen in het open veld. Ze ziet in gedachten Barak en Noa in hun kleine huisje aan tafel zitten, brood eten. Arme Noa, zal ze huilen van bezorgdheid als ze hoort dat zij en Itai weg zijn? En Barak, wat zal hij doen? *Als de helft van onze aanvoerders zo dapper zijn als jij, hebben we weinig te vrezen*, hoort ze hem zeggen. Maar dapper voelt ze zich niet. Wat zou hij willen dat ze deed? *Hoop is een sterk wapen.*

Ze staat op, loopt in de richting waarin Itai gegaan is. Ze moeten een schuilplaats zien te vinden voor de nacht. Voorbij het bochtje in de beek ziet ze hem weer. Itai. Waarom is ze eigenlijk achter hem aan gesprongen over de stadsmuur? Het had toch niet gehoeven? Achter de put zat ze veilig!

---

7 Letterlijk 'Toren van Gad', een hoge heuvelrug ten zuidoosten van Lakis.

'Akila!' Hij wenkt haar met een hand.

Itai staat voor een holte onder een grote, overhangende rots. De holte is van droog, wit kalkzand, bijna zo groot als de olijfpers van Motsa.

'Hier gaan we slapen', zegt hij.

Akila moet bukken om naar binnen te gaan, maar het is geen onbehaaglijke plek. Droog, veilig, stil.

'Ik ga nog wat water drinken', zegt Itai.

Even later komt hij terug. Met opgetrokken knieën zitten ze tegen de achterwand van de kleine grot. Buiten valt de avond. Het gras en de struiken waar ze op uit kijken aan de overkant van de beek verliezen langzaam kleur en scherpte.

'Waarom zat die Assyriër eigenlijk achter jou aan zodat je over de muur moest springen?' vraagt Itai nadat het een poos stil is geweest.

'Hij zat niet achter me aan.'

Itai kijkt haar in de schemering aan, verbaasd. 'Niet? Waarom sprong jij dan over de muur?'

Akila aarzelt. 'Ik weet 't niet precies.'

Nu draait Itai zich vol naar haar toe. 'Hoe bedoel je, ik weet het niet? Ik dacht dat ze achter je aan kwamen.'

'Ik weet niet meer precies hoe het ging', zegt Akila. 'Ik ... ik zag jou over de muur gaan en het enige dat ik toen dacht was: "Iemand moet naar Itai toe zodat hij daar niet alleen zit."'

'En het volgende moment dook jij zelf maar de muur over', zegt hij en hoewel ze het niet goed meer ziet, hoort Akila dat Itai zit te glunderen. 'Je lijkt Uzi wel!' zegt hij. 'De leeuwin van Lakis! Springt zomaar over de muur om mij te redden uit de klauwen van de Assyriërs!'

Akila lacht, maar weet niet wat ze moet zeggen. Itai wel. Zijn stem klinkt serieuzer dan zo-even. 'Ik moet toegeven, ik vind het best knap dat je dat gedaan hebt', zegt hij. En wat verlegener: 'Als jij veilig achter de put was blijven zitten, zat ik hier nu alleen.'

Akila krijgt een brok in de keel. Bij alle ellende waar ze in zitten, voelt ze zich opeens belangrijker dan ze zich in lange tijd heeft gevoeld.

Van uitputting vallen Itai en Akila snel in slaap. Itai is als eerste wakker de volgende morgen. Terwijl hij even later bij het beekje water drinkt, komt Akila er ook aan. Ze ziet er moe uit, vindt hij, en haar lippen zijn verdroogd. 'Drink wat,' zegt hij, 'daar knap je van op.'
Terwijl ze gehurkt met een hand water uit de beek schept en drinkt, kijkt Itai om zich heen. 'We moesten maar eens op verkenning uit,' zegt hij, 'en wat te eten vinden.'
Akila zegt niet veel terug. Even later zijn ze op pad. Ze volgen de Nachal Lakis stroomopwaarts, totdat ze een eind verderop een dalletje naar rechts in slaan. Het is een plooi in de uitlopers van de Migdal Gad. Het dalletje leidt omhoog en na een paar honderd passen klimt het behoorlijk steil de hoogte in. Ze klauteren tussen struiken door en over platte, zongewarmde rotsen. Itai ziet hier en daar schapenkeutels liggen. Hij is hier vroeger zelf ook wel in de buurt geweest met de kudde. Met de keutels kunnen ze een vuurtje maken als ze dat willen – als ze een plek vinden die voldoende verscholen ligt. Maar dat kunnen ze voorlopig maar beter laten, denkt hij.
Ze lopen weer terug in westelijke richting, vlak onder de rand van de heuvelrug, want bovenop zouden ze van grote afstand te zien zijn; de Heuvels van Gad zijn hoger gelegen dan het omliggende land. Tussen rotsen, jeneverstruiken en een enkel lijsterbesboompje door kunnen ze Lakis en het Assyrische kamp zien liggen. Af en toe horen ze zelfs de geluiden van de stad: een dun ijzerachtig geluid, of flarden stemgeluid.
Itai staat even stil. Hij denkt aan het beleg van Samaria. Drie jaar! Snel drukt hij die gedachte weg. Hij kijkt naar de grijs-witte vestingstad in de verte. Met de vaandels en de hoge citadel lijkt Lakis

wel een fiere krijger te paard. 'In elk geval zitten we hier voorlopig redelijk veilig', zegt hij om zichzelf moed in te spreken. 'De strijd zal hopelijk snel beslist zijn. Dan kunnen we weer terug naar huis. Barak weet heus wel hoe hij die Assyriërs moet aanpakken.' Zijn stem klinkt nu bijna opgetogen. 'En anders Uzi en Harad wel! Met zijn tweeën tegen zeven man en dan nog winnen ook!''

Akila is naast hem komen staan. 'Ik hoop dat je gelijk hebt,' zegt ze, 'maar volgens mij kan het best een poos duren.'

Het grootste deel van de dag zwerven ze, op zoek naar iets eetbaars, over de flanken van de heuvels van Gad en door de bossen die de zuidelijke hellingen bedekken. Itai heeft wel vaker zelf eten moeten zoeken in het veld. Ze hebben geluk dat het Tisjri is, oogstmaand: er groeit van alles. Ze vinden een kluitje *charoevbomen*[8]. De donkerbruine, leerachtige peulen waarmee de takken volhangen zijn een beetje taai, maar ook zoet en voedzaam. Later, als ze weer afdalen naar de Nachal Lakis om water te drinken, vinden ze een wilde vijgenboom vol vruchten waar ze zich smakkend en dankbaar aan tegoed doen.

Vlak daarbij vindt Itai een schuilplaats die hem beter lijkt dan de vorige. Het is eenzelfde soort grot, maar ruimer, in een diepere plooi tussen twee uitlopers van de Migdal Gad, op een steenworp afstand van de beek. De nieuwe schuilplaats ligt achter een paar jeneverstruiken uit het zicht, maar van binnenuit kan hij door de takken heen ver kijken en ze hoeven maar een paar passen omhoog te klauteren voor een goed uitzicht op Lakis en het Assyrische kamp.

Ze rusten wat uit, spoelen in de beek het stof van zich af, rusten weer wat uit. De middag is al ver gevorderd. Itai ziet dat Akila moe is. Zelf begint hij zich te vervelen. Van zijn knie heeft hij geen last meer.

[8] Letterlijk: carob, of johannesbroodboom. Een kleine boom die in de nazomer eetbare peulen voortbrengt, ook wel johannesbrood genoemd.

'Ik ga een eindje langs de beek lopen', zegt hij. 'Blijf jij hier?'

Akila kijkt hem onzeker aan. 'Wat ga je doen?'

'Gewoon, even lopen. Ik heb niks te doen. Ik ben zo weer terug. Blijf bij de grot.'

Het is bijna avond. De zon is achter een heuvel, het licht wordt dunner. Itai is onwillekeurig niet stroomopwaarts naar stroomafwaarts gaan lopen, in de richting van Lakis. Heerlijk om in de afkoelende lucht met de voeten af en toe in het water te banjeren. Hij vergeet haast dat het oorlog is.

Om een bochtje ziet hij dat hij de stad al behoorlijk genaderd is. Hij ziet de zuidelijke muur met kleine soldaatjes erop, en daaronder, dat moet de belegeringshelling zijn waarover Akila het had: een grote wal die schuin opklimt tegen de stadsmuur. Zouden ze daar echt tegenop gaan met hun oorlogstuig? Dan komen ze wel heel dicht bij de stad!

Nog een slinger in de beek en hij kan het Assyrische kamp zien op de lagere heuvel ten zuiden van de stad. Spannend. Hij loopt geruisloos door het zand van de beekbedding. Opeens: geluid! Itai houdt de adem in. Wat is het? Hij hoort stemmen. Een mannenstem. Bukken, nog een paar stappen dichterbij. Mensen. Verderop, langs de oever. Op de hurken, met het hoofd omlaag, schuift hij dichterbij, gegrepen door nieuwsgierigheid. Daar: twee soldaten die enkele passen uit elkaar met de rug naar hem toe staan! Wachtposten? Tussen hen door stapt een lange man, gevolgd door twee vrouwen. De man loopt naar de oever toe en stapt in de beekbedding. Hoogstens dertig passen van Itai af. De man is lang en statig met een kaal hoofd dat glimt in de roze avondlucht. Hij draagt een wit kleed met een soort sieraad dat aan een koord op zijn borst hangt. Plotseling ziet Itai het: het is die man van de eerste dag! Die priester of aanvoerder die aan de poort stond om Lakis uit te dagen! Itai's hart klopt in zijn keel. Hij moet hier weg, maar schrik en nieuwsgierigheid houden hem vast. De man stapt in het ondiepe water, spettert wat met zijn voeten, stopt. Buigt voorover om met zijn handen het water te voelen. De borstplaat bungelt onhandig voor zijn gezicht. Hij staat op, wandelt een paar passen in Itai's richting en stopt weer. De Assyriër doet het sieraad af, trekt ook zijn witte opperkleed uit. Eén van de vrouwen zegt iets en komt op hem toe lopen. Zij heeft ook een grote hanger om die ze aan de man geeft. Hij legt de twee stukken met zijn opperkleed op de oever. Dan draait hij zich om en loopt met de vrouw verder. De tweede vrouw – zijn het slavinnen? – roept hen en gedrieën lopen ze verder stroomafwaarts. Ze zeggen iets onverstaanbaars, lachen als de man de twee vrouwen met een voet nat spettert.

Itai kijkt een poosje ademloos door het hoge gras naar het tafereel. De man zit nu in het water met zijn achterhoofd en schouders naar Itai gekeerd, terwijl de twee vrouwen met hun handen water over hem sprenkelen. Dan loopt een van de vrouwen nog wat verder, gevolgd door de tweede. Ze roepen de Assyriër: ze hebben zeker het diepere poeltje gevonden waar Itai zelf vaak in heeft gespeeld. Itai knijpt zijn ogen toe: in de schemering kan hij hen steeds moeilijker zien. Wat maken ze een lawaai. Gelukkig gaan ze verder weg, ze zullen hem niet opmerken. Op de oever hoort Itai de twee soldaten een paar woorden wisselen; het klinkt of zij ook doorlopen.

Itai krijgt een idee. Een wild idee. Een heldendaad! Dáár zal later zeker over gepraat worden. Als het hem lukt. Zal hij ...? Hij laat zich op handen en knieën zakken, schuift dichterbij, geluidloos dankzij het zand. De Assyriër en de twee vrouwen kletsen en spetteren er luidruchtig op los. Laat ze maar lol maken, dan kan hij zijn slag slaan! Itai voelt zich onoverwinnelijk. Natuurlijk zal hij!

Behoedzaam sluipt hij naar voren. Knie, hand, andere knie, andere hand, stapje voor stapje, geluidloos, ademloos. Een kikker kwaakt vlak naast hem in het droge riet, hij schrikt ervan. Waar heeft die Assyriër zijn kleed gelegd? Ah, achter die dikke rietpol. Nog twee stapjes. Itai kijkt, luistert. Niemand merkt iets. De soldaten zijn nergens te bekennen, de officier en zijn vriendinnetjes zijn nog steeds bij de poel. Hij hurkt, steekt een arm uit, zijn vingers betasten het zachte kleed, voelen één van de twee sieraden – het is een tabletje van klei of steen. Hij licht het op, wikkelt het koord dat eraan vastzit er vlug omheen, sluit het in zijn hand, draait zich om, sluipt op de hurken terug, stroomopwaarts. Nog niet te snel, niet struikelen, geen geluid maken. Stop. Omkijken, luisteren. Geen gevaar, alles is zoals het was. Hij moet uit het zicht zijn nu. Hij gaat wat meer rechtop lopen, sneller, sneller, de adem ingehouden, het tabletje stijf in de hand geklemd, tot hij helemaal rechtop durft te staan en het op een rennen zet zoals nooit tevoren! In volle vaart scheert hij door de bedding, de struiken vermijdend, springend over rotsen en bochtjes in de stroom. Rennen rennen rennen! Het is een flink stuk, maar hij mag nog niet inhouden. Hij voelt zijn longen tegen zijn borstbeen prikken, zijn hoofd klopt alsof het hele Assyrische leger hem op de hielen zit! Maar nog durft hij niet inhouden, zelfs nauwelijks te ademen. Voort, doorgaan, harder, de duisternis van de vallende nacht in.

Pas als hij vlak bij hun schuilplaats is, houdt hij de pas in, komt hijgend tot stilstand. Stokstijf. Luistert, kijkt. Niks. Niemand is hem gevolgd. De avond is stil. Alleen krekels. En een uil die laag onder de maan door zweeft om iets in zijn klauwen te grijpen. Itai voelt zijn eigen vingers, verkrampt van het vastklemmen van de buit. Hij opent ze langzaam. Nu kan hij kijken. Het voorwerp is glad gepolijst en er staat een afbeelding op. Itai's mond breekt open in een triomfantelijke grijns. Hij sprint de helling op en springt zó onverwachts in de opening van de grot dat Akila een luide kreet slaakt.

'Akila!' fluistert hij opgewonden. 'Ik heb een Assyrische afgod gevangengenomen!'

HOOFDSTUK 9

Ruzie om het amulet

Akila kan haar oren en ogen niet geloven als ze hoort wat Itai gedaan heeft. Ze is woedend dat hij zo roekeloos is geweest – en ze is bang. 'Je had wel dood kunnen zijn, snap je dat niet! We hadden allebei wel dood kunnen zijn als ze je gevolgd hadden! Wie weet komen ze ons alsnog achterna!' Ze gaat van schrik zachter praten.

Maar Itai lijkt alleen maar trots op zichzelf te zijn. 'Ach, natuurlijk niet. Ze kunnen ons nooit vinden en trouwens, ze hebben heus wel wat anders te doen dan ons te komen zoeken.'

Akila is er lang niet gerust op. Misschien zwermen er op dit moment wel hordes Assyrische soldaten in de buurt rond om hen op te pakken. 'Volgens mij moeten we een andere schuilplaats gaan zoeken, verder weg van hier. Oh, ik wou dat we in de grond konden verdwijnen!'

Akila doet haar handen voor haar gezicht. Itai gaat zitten, ver bij haar vandaan aan de zijkant van de grot. Waarom moet die jongen altijd van die rare dingen uithalen, waarom kan hij niet gewoon rustig blijven? Ze is boos op hem. Ze moest hem maar eens flink de waarheid vertellen. Het is allemaal zijn schuld. Zal ze dat zeggen? 'Waarom moet jij nou altijd jezelf en anderen in gevaar brengen?' begint ze.

'Stel je niet aan, ik heb ons niet in gevaar gebracht', antwoordt Itai geïrriteerd.

'Oh nee?' zegt ze uitdagend naar voren leunend. Het is al te laat, ze heeft de bittere woorden al op de tong. 'Als jij niet zo stom en eigenwijs was, dan zaten we nu veilig in Lakis, hoor! Jij moest zo nodig naar de muur toe lopen terwijl je wist dat je niet voorbij de put mocht.'

'Nou en! Alsof dat wat had uitgemaakt!'

'Alsof het wat had uitgemaakt? Als jij naar je vader had geluisterd hadden we ons allebei veilig achter de put kunnen verschuilen ter- wijl Uzi die soldaten wegjoeg. Maar doordat jij naar die muur toe- ging, bracht je jezelf in gevaar, én Uzi én mij en alle anderen. Je denkt alleen maar aan je eigen avontuurtjes, maar de problemen die je veroorzaakt moeten anderen telkens voor je oplossen.'

'Oh ja? Nou, jij hoeft mijn problemen echt niet voor me op te los- sen, hoor', sneert Itai. 'Was jij maar achter de put gebleven. Ik red me heus wel zonder jou. En hou nu verder je mond maar, want ik ga slapen!'

'Stijfkop', moppert Akila, maar Itai heeft zich al op zijn zij ge- kruld, het kleiplaatje in de hand, de rug naar haar toe.

De nacht valt stil en zwart over Akila heen. Wat een ellende; was ik maar nooit in dit vervloekte land terechtgekomen, denkt ze. Ruzie, gevaar, niemand die ons kan helpen, een gestolen god van de Assyriërs in ons bezit. Het enige wat we kunnen doen is als wor- men wegkruipen in dit gat in de grond. Ze knijpt haar ogen dicht alsof ze zich daarmee kan afsluiten voor alle narigheid. Maar door haar oren dringt het eenzame keffen van een vos naar binnen, of is het een jakhals? Akila snuift in zichzelf: wat maakt het uit als we straks ook nog door wilde dieren verscheurd worden? Erger dan dit kan het niet worden.

Het is een beroerde nacht. Na lang piekeren en draaien valt Akila in een onrustige slaap, verstoord door rare dromen. Over een vos die voor de ingang van de grot in een loerende duivel verandert, likkebaardend om deze dubbele prooi die hem in de schoot is geworpen. Over een Assyrische soldaat die haar ruw beetpakt en over een muur gooit terwijl Noa en Adalja als verlamd toekijken.

Lang voor de nacht voorbij is, wordt ze wakker. Het is kil. De dromen herinnert ze zich maar vaag, als een schaduw. Haar mond is droog, haar nek en schouder voelen stijf aan. Haar buik is het die haar heeft wakker gerammeld. En het bonzen van haar hoofd. Honger en dorst. Ze grabbelt in het donker naar de paar *charoev* die ze hebben meegenomen. Daar. Ze neemt een hap en begint stil te kauwen. De kruimelige, zoetige peul heeft een honingachtige nasmaak die eigenlijk best lekker is. Maar verzadigen doet het niet. Brood, daar heeft ze trek in, of een kom warme linzensoep van Noa! Een paar flinke slokken water zouden er ook wel in gaan, maar ze durft niet alleen in de nacht naar de beek te lopen. En ze vertikt het om Itai wakker te maken.

Ze ligt op haar rug, het hoofd tegen de achterwand van de grot. Buiten is er weinig te zien. Het donker van het land loopt over in het donker van de lucht. Alles donker, nergens gloort licht. Zoals ze zich van binnen voelt. Het was niet goed om ruzie te maken met Itai, maar wat moest ze dan? Heeft ze geen gelijk? Een godsbeeld stelen van een belangrijke Assyriër! Het moet wel het stomste idee zijn dat Itai ooit heeft uitgevoerd! Met de goden moet je niet sollen en dat zal ze hem morgen zeggen ook. Die god moet weg. Maar hoe? Weer een probleem. Want terugbrengen is uitgesloten en ergens op het veld neergooien kan ook niet, dan zou de geest hen tot in hun graf achtervolgen. Waarom doet Itai zoiets stoms, hij heeft toch zijn eigen God, Elohiem, dat is toch de God van de Judeeërs? Niet dat die veel voor ze gedaan heeft de laatste dagen. *Als U mild bent en vol liefde en geduld, hoor dan mijn gebed, Elohiem.* Akila begint zomaar te bidden tot de Judese God van wie ze zo weinig merkt. Vergeef Itai zijn dwaze daad, verlos ons van de Assyriërs en hun goden. Ze stopt even. Nu ze toch bezig is ... *En wilt U zorgen dat we Adalja vinden, zodat we niet meer alleen zijn. Dan zullen we U prijzen omdat U ons bevrijd hebt.*

Zo, best een mooi gebed, denkt Akila. Aan haar zal het in elk geval niet liggen als de God van de Judeeërs hen in dit gat in de grond laat verkommeren. Morgen zal ze Itai zeggen dat hij ook maar eens tot Elohiem moet bidden – in plaats van met Assyrische goden te heulen. Ze gaapt en legt de half afgebeten peul die ze nog in de hand heeft naast zich neer. *Adalja, waar ben je? Heeft Uzi, de leeuw van Lakis, er goed aan gedaan je weg te sturen?* Misschien was daar meer moed voor nodig dan om Adalja in de stad te houden, mijmert Akila. Uzi heeft zijn eigen naam op het spel gezet om zijn vrouw en kind een kans te geven. En als hij al zo veel gevaar trotseerde om Itai en Akila achterna te komen bij de muur, dan zal hij Adalja vast en zeker ook achterna komen. Vroeg of laat. 'En wilt U ook zorgen dat Adalja en Uzi weer bij elkaar komen', bidt ze zacht. Ze houdt haar adem in en spitst hoopvol haar oren: misschien hoort ze in de stilte van de nacht wel een kreetje of kuchje van de kleine Ronen. Maar er gebeurt niets. Ze valt weer in slaap.

Itai wordt knorrig wakker. Zijn keel is droog en zijn knie doet weer zeer. Hij is moe en houdt de ogen dicht, al weet hij dat de slaap niet meer zal komen. Hij geeuwt, wrijft in zijn ogen, kijkt naar buiten. De zon is op, de lucht in de grot is warm, het moet al laat in de ochtend zijn. Waar is Akila? Itai kruipt op handen en voeten het hol uit, krabbelt halverwege weer terug: het kleitabletje. Hij grist het van de vloer en hangt het om zijn hals. Buiten komt hij stram overeind, de ogen toegeknepen tegen het felle licht. Akila zal wel bij de beek zijn.
'Sjalom', zegt hij als hij haar gevonden heeft. Hij probeert nors te klinken vanwege de ruzie.
'Sjalom', zegt Akila. 'Lekker geslapen?' Haar stem klinkt ook wat vlak.
'Mm, niet echt', mompelt hij. 'Beetje raar gedroomd en zo.'
'Ook al?'
Itai heeft geen zin om te reageren. Hij knielt bij de beek en giet een handvol water over zijn hoofd en gezicht, buigt voorover tot zijn mond het water raakt en drinkt gulzig. Ah, heerlijk. Nog meer

over zijn hoofd en nek. Het is al heet. Over zijn knie giet hij ook water.

'Je hebt je oorlogsbuit bij je, zie ik', zegt Akila en ze wijst met haar kin naar het tablet.

'Oh, dat', zegt Itai zo onverschillig mogelijk. Hij heeft weinig zin in nog meer ruzie.

'Mag ik het zien?'

Dat klinkt beter, denkt Itai. 'Okee.'

Akila komt naast hem zitten. Hij doet het koord over zijn hoofd en legt het tablet op zijn handpalm tussen hen in.

'Het is best mooi gemaakt', zegt Akila. 'Een soort wolf met een leeuwenkop, die twee slangen vasthoudt. Beter gezegd een wolvin, zo te zien. En wat zouden die strepen daar zijn?'

'Ik weet 't niet', zegt Itai.

'Mag ik 's zien?' Akila neemt het uit zijn hand en draait het om. 'Er staat iets op de achterkant geschreven.'

Dat heeft Itai allang gezien. Een rijtje letters in het spijkerschrift van de Assyriërs. Hij heeft geen idee wat er staat. 'Ik denk dat het een afbeelding is van een Assyrische afgod', zegt hij, ook al heeft hij er eigenlijk geen idee van.

'Dat weet ik wel zeker', zegt Akila beslist. 'Het is een amulet, een beschermsteen. Ik heb zulke dingen in Egypte vaak gezien. De afbeelding is een godin, ik weet niet welke; de tekens op de achterkant zijn een bezweringsgebed.'

'Een wat?' Itai weet niet precies wat ze bedoelt. Hij vindt het niet prettig dat Akila het woord 'godin' gebruikt in plaats van 'afgodin'. De enige God is Elohiem!

'Een bezweringsgebed, ken je dat niet? Dat is een speciaal soort gebed tot een bepaalde god of godin waardoor die god je beschermt tegen ziekten en duivels en zo.' Ze kijkt van het amulet naar hem. 'Volgens mij is dit een duivelin. Ze ziet er niet erg vredelievend uit. Misschien is het bezweringsgebed wel bedoeld om je tegen háár te beschermen. Als ik jou was, zou ik dat ding wegdoen.'

'Hoezo?' vraagt Itai. Hij heeft geen zin om zich als een dom schaap door Akila te laten herderen.

'Jij gaat me toch niet vertellen dat je een Assyrische duivelin bij je wilt dragen?'

Itai staat op, boos. 'Tuurlijk niet. Ik heb hem toch gevangengenomen – of haar, dan! Net zoals de Assyriërs ons en onze God gevangen willen nemen. Ze willen ons toch voor zich laten werken als ze de oorlog winnen? Nou, dan laat ik deze wolfgodin voor óns werken!'

Nu wordt Akila boos. 'Wat ben jij toch eigenwijs! Duivels en goden laat je niet voor je werken, ezelskop, die zijn veel machtiger dan wij. Als je niet oppast, laat die wolfgodin jou voor háár werken. Misschien dóet ze dat al wel, door de Assyriërs op ons spoor te brengen.'

'Ach, die Assyriërs zijn ons heus niet op het spoor.'

'Je moet dat amulet wegdoen. Jij bent Judeeër!'

Itai is verbaasd over Akila's felheid: zij is toch Egyptische? Hij pakt het amulet terug. 'Wat zeur je nou. Misschien dat het in Egypte zo werkt, maar bij ons hoef je geen wolfgodin te vrezen. Elohiem is toch sterker!'

Akila deelt nog een sneer uit. 'Ik ben benieuwd wat Elohiem ervan vindt dat jij een áfgod,' ze zegt het woord heel overdreven, 'in onze hut laat slapen! En nog wel eentje die je gestolen hebt!'

'Ach, mens, je snapt er niks van!' Itai loopt weg. Hij krijgt hoofdpijn van het geruzie. Wat een gezeur. Maar terwijl hij met de rug naar Akila toe wegloopt, voelt hij onrust. In zijn buik, zijn hoofd. Zoals Akila het zegt heeft hij het niet bedoeld toen hij de Assyrische hoofdman te slim af was! Natuurlijk wil hij geen Assyrische duivelin bij zich dragen! Hij wil alleen maar laten zien dat de Judeeërs sterker zijn! Zou Elohiem dat niet goedkeuren? In zijn gedachten staat ineens zijn vader voor hem, de ruige baard, de vriendelijke, rustige ogen. Hij hoort abba's stem. *Je bent me d'r eentje, jongen. Je hebt een moedige daad verricht.* Maar dan slaan

Itai's gedachten op hol, lijkt het wel, want hij ziet zijn vader het hoofd schudden en hoort hem iets heel anders zeggen. Een zinnetje uit de Judese wetten. *Je mag geen afgodsbeelden maken, je moet nergens in je land zulke beelden neerzetten; het doet er niet toe of het houten of stenen beelden zijn. Haal hun altaren omver, sla hun opgerichte stenen aan stukken, hak hun heilige palen om en verbrand hun beelden ... Itai, het besluipen van de Assyriër was moedig. Maar toegeven dat Akila gelijk heeft, is net zo moedig. Je moet de afgod wegdoen.*

Itai hoort, maar wil niet horen. Abba begrijpt het al net zo verkeerd als Akila. Het laatste zinnetje van Akila – *en nog wel eentje die je gestolen hebt* – echoot door zijn gedachten, maakt de hoofdpijn erger. Hij is geen dief! Hij is een slimme soldaat van Elohiem die de vijand van een kostbare schat heeft beroofd! Wie weet raken de Assyriërs wel helemaal van slag nu één van hun afgoden er niet is om te helpen. Het kan toch?

Itai komt overeind. Dit moet wel de vervelendste dag zijn sinds Jom Kippoer – eigenlijk nog vervelender. Lusteloos slentert hij de helling op. Het paadje dat hij volgt zit vol barsten van de hitte en droogte. Akila volgt op een afstandje maar ze doen beiden alsof ze elkaar niet kennen of zien. Itai heeft wel trek in wat anders dan de charoev die ze her en der weer vinden, maar de nare sfeer is erger dan de honger.

In de middag vindt hij een kluit sabra-cactussen. De vruchten die eraan zitten zijn zo rijp dat het zoete, oranjekleurige sap er haast vanzelf uit sijpelt. Het ziet er veelbelovend uit, maar het lukt hen geen van beiden goed het vruchtvlees tussen de lange cactusnaalden uit te krijgen. De paar hapjes die ze binnenkrijgen maken de honger alleen maar erger.

Later op de middag keren ze, beiden met een arm vol met charoev, terug naar de schuilplaats. Ze zijn moe, hongerig en overal zit stof: tussen hun tenen, onder hun kleed, in hun oren, om hun mond- en ooghoeken. Akila gaat zich bij de beek afspoelen, maar Itai heeft geen zin. Hij ploft neer in de koelte van de grot en sluit zijn ogen.

Als Akila terugkomt, heeft Itai zich iets herinnerd dat de sfeer misschien zal verbeteren. 'Ik weet nog een plek waar wat dadelpalmpjes staan, ik denk dat er nog wel dadels in hangen', zegt hij. Zijn stem is nog schor; zijn ogen heeft hij half dicht. 'Het is wat verder dan we vandaag zijn gelopen, maar we kunnen er morgen wel heen. Bij het Woud van Amazia.'

'Weet je het wel te vinden?' vraagt Akila.

'Jawel, ik ben er een keer met de schapen geweest, met Omri.'

'Mij best', zegt Akila. 'Ik ga nu slapen.'

Ze gaat liggen, maar komt weer half overeind. 'Doe mij een lol en leg die wolfgodin ergens buiten neer, niet in onze hut.'

Dat ze daar nu weer over begint! Itai is haar al ter wille geweest door het amulet de hele dag niet om zijn hals te dragen maar in zijn gordel, bij zijn mes en gordeltasje. Maar goed, hij heeft geen zin meer in ruzie. Laat ook maar. Zuchtend en mopperend scharrelt hij naar buiten en legt het amulet op een steen naast de opening.

'Een beetje verder weg graag,' zegt Akila, 'en niet zo dicht bij mijn hoofd, anders lijkt het alsof ik ervoor buig.'

Die meid heeft wel lef! 'Doe het dan zelf', bijt hij haar toe.

'Ik wil dat ding niet aanraken', zegt ze.

'Nou, jij bent wel erg vroom geworden voor een Egyptische', zegt Itai. Maar hij doet wat ze vraagt en legt het amulet onder een struikje een pas of zes, zeven bij de grot vandaan.

Akila is al op haar zij gaan liggen. Even later valt ze in slaap.

Itai zucht. Zijn keel doet zeer, maar omdat zijn voeten en benen nog meer pijn doen, heeft hij geen zin om naar de beek te lopen voor water. Zijn gedachten dwalen over de velden richting Lakis. Soekot, het grote feest. Daar hadden ze nu middenin gezeten als alles anders was gelopen. Dan zaten ze nu met zijn allen rond een dansend vuur, met schalen en manden vol lekkers binnen handbereik: warm brood uit de gloeiende kolen en koele, romige geitenmelk. Kaas! Wat is er toch veel om van te genieten als het je goed gaat!

Het is allemaal zo anders gelopen, Itai begrijpt het niet. Hij is het niet gewend dat dingen anders gaan. Alles is altijd gegaan zoals het moet, vaak zelfs zoals hij wil. Nu lijkt dat allemaal voorbij. Waarom laat Elohiem het gebeuren? Waarom laat Elohiem Lakis in de steek? Itai's verstand probeert het te bevatten. Stel dat abba uren bezig is om een prachtige, hoge kruik te formeren op de draaischijf, zal hij die dan aan het eind plotseling op de grond te pletter laten vallen? Dat doe je toch niet? Waarom laat Elohiem Juda dan vallen? Niet omdat die Assyriërs zo sterk zijn, met hun vervloekte koning Sanherib die denkt dat hij de baas moet spelen over iedereen. Alsof Elohiem hém niet de baas is!

Itai zucht. Het kán niet anders of alles zal vroeg of laat weer goed komen. Zoals altijd zal alles weer goed komen. Zo is Elohiem. Zo heeft Hij de schepping gemaakt: alles wat krom is, zal Hij uiteindelijk wegdoen of recht maken. Simpel eigenlijk. Itai denkt aan het gebed dat abba soms bidt. *Uw goedheid en vriendschap volgen mij altijd. Al de dagen van mijn leven mag ik terugkeren in het huis van de Ene ...*

Terugkeren in het huis van de Ene. *Maar toch niet met het amulet van de wolfgodin?* De vraag springt zomaar in Itai's gedachten. Hij weet er geen antwoord op, heeft geen zin erover na te denken. Die vervloekte Assyriërs met hun afgoden. Hij voelt zijn hart weer zwellen van trots over het feit dat hij, Itai, de Assyrische hoofdman die Lakis durfde uitdagen zomaar heeft afgetroefd.

Itai wordt wakker, opent zijn ogen, kijkt. Het is donker. Hij heeft zeker de hele namiddag en avond doorgeslapen tot ergens midden in de nacht! Terwijl zijn ogen aan de duisternis wennen, merkt hij dat de kilte van de eerste nacht er niet is, de lucht voelt behaaglijk aan zijn huid. Hij rekt zijn armen. De slaap heeft hem goed gedaan. Maar wat een dorst! Zijn mond en keel barsten haast van droogte. Naast zich ziet hij de gestalte van Akila. Hj hoort haar rustige ademhaling, ze slaapt diep. Geluidloos staat hij op en gaat naar buiten.

Hij staat voor de opening van hun schuilplaats. De uitgestrekte donkerpaarse Sjefela, de hemel met de bijna volle maan, het fluisteren van de krekels – alles ademt rust en vrede. Itai voelt zich een stuk sterker en moediger dan de afgelopen paar dagen. Elohiem is met hem, hij weet het. Zo ís Elohiem. *Uw goedheid en vriendschap volgen mij altijd, al de dagen van mijn leven.*

Op zijn tenen loopt Itai richting de beek. Bij het struikje waar het amulet ligt stopt hij. Hij zakt door de knieën en pakt het op. Hij kijkt omhoog naar de verlichte hemel. Hij bidt. 'Elohiem, U die goed en heilig bent: voor U heb ik de Assyriër zijn afgod afgenomen.' Hij staat op. 'Ik weet dat U de Assyrische vijand zult verjagen, zo zeker als ik zijn afgod heb veroverd. Breng mij daarom terug bij mijn familie en verneder de Assyriërs zoals ik ook heb gedaan.'

Hij schuift het koord over zijn hoofd en hangt het om zijn hals. Het amulet stopt hij onzichtbaar onder zijn kleed, tegen zijn huid. Dan daalt hij af naar de beek om water te drinken.

HOOFDSTUK 10

Rookwolken en tongen van vuur

De dagen gaan voorbij. Een paar keer gaan Akila en Itai naar de zuidelijke hellingen van de Migdal waar ze inderdaad, zoals Itai gezegd heeft, dadelpalmen vinden met vruchten eraan – zelfs veel meer dan hij voorspeld heeft. Akila vindt de verse dadels heerlijk. De zoete knapperigheid die ze voelt als ze in het eerste lichtgele vruchtje bijt, verrast haar: in Egypte aten ze voor zover ze zich kan herinneren alleen de gedroogde dadels die veel zwaarder op de maag vallen – en de volwassenen dronken die vreselijke dadelwijn waar je mond vanzelf van begint te spugen.

Akila en Itai dwalen overdag uren door de acacia- en pijnboombossen en Akila vindt het fijn dat ze langzaam maar zeker de weg weet hier in de heuvels. Zo hoeft ze niet steeds achter Itai aan te lopen. Echt ruzie maken ze niet meer, maar uitgepraat en opgelost is het ook niet. Akila heeft heus wel gezien dat Itai het amulet onder zijn kleed draagt, maar ze zegt niks. Ze praten sowieso niet zo veel, alleen over de noodzakelijke dingen – zo gaat dat als je een ruzie niet hebt goedgemaakt. Maar ondanks dat vindt Akila het leventje buiten op het veld eigenlijk helemaal niet onprettig. De stilte, de ruimte, de wind, het lopen, het buiten zijn – ze wordt er vanbinnen rustiger van dan ze in lange tijd geweest is. Haar buik is best gewend geraakt aan het dieet van charoev, vruchten en af en toe een handjevol wilde gerstkorrels die her en der in blonde plukjes in de dalen groeien. Haar huid is donkerder geworden en ze heeft het gevoel dat haar voeten, haar benen, al haar lichaamsdelen sterker, taaier zijn dan voorheen. Ze kan lopen zonder moe te worden. Zelfs als ze driekwart dag geen eten op heeft, wordt ze niet slap of hongerig. De nacht ademt voor haar geen dreiging meer maar een gevoel van bescherming en vertrouwdheid: ze herkent de vormen van het landschap en het kriepen, keffen en krassen van krekel, vos en uil. Zelfs het huilen van een wolf ergens diep in de bossen van Amazia klinkt haar na een paar nachten nauwelijks anders dan het gemopper van een oude buurman. Akila begint zich thuis te voelen hier in het Judese land.

Op de middag van de veertiende dag na Jom Kippoer – de week van Soekot is zonder viering gekomen en gegaan – zitten de twee op Itai's favoriete uitkijkpost: een platte rots op een noordwestelijke uitloper van de Migdal met een groepje lijsterbesbomen ervoor waarachter ze Lakis en het Assyrische kamp kunnen overzien. Akila komt hier niet zo graag. Hier brengt de westenwind geluiden met zich mee die ze liever vergeet: kreten van mensen, het kraken van hout, het rollen van brokken gesteente. Oorlog.

'Volgens mij wordt er nu zwaar gevochten', zegt Itai, zijn stem iets gespannen. 'Het lijkt wel of er meer geschreeuwd wordt en harder gebeukt wordt met die stormrammen.'

Akila zegt niks, maar ook zij hoort nu het ritmische gedreun van de stormrammen. Het klinkt ver weg en vaag, maar tegelijkertijd is het alsof de grond onder hen meetrilt. Alsof heel de Sjefela schudt.

Itai wordt rusteloos, merkt Akila. Zonder haar aan te kijken zegt hij: 'In een strijd verwikkeld zijn is erg. Maar naar een strijd zitten kijken waar je niks aan kunt doen is nog erger.'

Akila denkt: misschien zal hij zeggen dat hij spijt heeft van alles! Dat hij de put voorbij gegaan is, het amulet gehouden heeft. Maar hij zegt niks. Uit de verte komt een krakend, donderend geluid aanrollen. Ze turen beiden naar de zuidelijke muur en de reusachtige aanvalsdam ervoor. Het is zowel op als onder de muur een gekrioel van mensen, het lijkt wel een mierenhoop. Af en toe zien ze de flikkering van een ijzeren pijl door de lucht schieten of van de muur ketsen.

'Wat gebeurt er nu weer?' Akila leunt naar voren en buigt een lijstertak opzij. 'Het lijkt wel of onze soldaten iets op de muur tillen.'
'Misschien gaan ze hete olie op de Assyriërs gooien', zegt Itai. 'Dat heb ik wel eens gehoord. En dan vuurpijlen om er de fik in te steken.'
Met donderend geraas valt een paar tellen later iets over de muur naar beneden. De Assyriërs zwermen uiteen als opgeschrikte vogels terwijl het voorwerp – Akila kan niet zien wat het is – van de wal af de diepte in tuimelt. De wind is iets aangetrokken en overstemt de geluiden nu. Ze zien de Assyriërs zich weer hergroeperen.
'Nu gaan ze zelf iets de wal opduwen', zegt Akila. 'Zou dat een van die draken-op-wielen zijn?' Ze moet opeens grinniken. Een draak op wielen! 'Ik hoop dat onze vriend Levi-hoe-heet-ie-ook-weer een keer flink met zijn staart zwiept, dat scheelt weer twintig Assyriërs', zegt ze.
Itai lacht. Het doet Akila goed: de sfeer voelt voor het eerst in dagen iets meer ontspannen.
'Ik weet zeker dat de Assyriërs het niet van Lakis kunnen winnen', zegt Itai nu. 'En als ze Lakis al klein krijgen, dan lopen ze wel stuk op de rest van Juda's verdedigingslinies!'
Wat fijn dat Itai eindelijk weer eens gewoon praat! Akila heeft bijna de neiging om nu eindelijk eens een goed gesprek te beginnen over dat amulet. Maar ze houdt zich in: ze wil de sfeer nu niet weer gaan verpesten: laat hem er zelf maar over beginnen.
De strijd op de zuidelijke muur – en vermoedelijk ook bij de poort, maar dat kunnen Akila en Itai niet goed zien – woedt nu in alle hevigheid. De Assyriërs kruipen inderdaad als mieren tegen de stadsmuur op. Zelfs eroverheen, lijkt het wel!
'Ai!' Akila kan een wanhoopskreet niet onderdrukken. 'Zie je dat?'
Een rookpluim stijgt van ergens achter de stadsmuur op, de eerste die ze in al die tijd gezien hebben. Eerst wit en dun, maar al snel dikker, somberder.

'Ze steken de stad in brand!' Akila doet een hand voor de mond.

'Zegt nog niks', reageert Itai, maar Akila weet heel goed dat hij hetzelfde ziet als zij: de Assyriërs zijn over de muur. En iedereen die ooit in een vestingstad heeft gewoond kan je vertellen: als de vijand eenmaal een bres in je muur heeft geslagen, krijg je hem er niet meer uit zonder zware verliezen te lijden.

Een groot deel van de middag kijken Akila en Itai toe. Onder de rookwolken, die nu op drie plekken achter de stadsmuur opstijgen, zien ze nu af en toe ook vlammen, die als drakentongen aan de lucht likken. Zou de strijd nu echt verloren zijn?

Van het lange turen wordt Akila een beetje dromerig. Door de afstand, het ruisen van de wind en de behaaglijke zonneschijn op haar gezicht en armen voelt het op een of andere manier meer alsof ze naar een soort toneelspel kijken, of naar een verhaal luisteren, dan dat er daarginds een echte oorlog gaande is met bloed en zweet en tranen. 'Eén ding weet ik wel', zegt ze. 'Ik zit liever op een afstand toe te kijken dan dat ik daar midden in zou zitten.' Meteen voelt ze zich schuldig: wat heeft ze gezegd! Daar vechten mensen voor hun leven en zij vindt het prettig dat ze er niet bij hoeft te zijn!

Gelukkig reageert Itai niet: die voert in gedachten zijn eigen strijd.

Een gevoel van verwondering komt over Akila. Over alles wat hen is overkomen in de laatste weken. Over het feit dat ze nu hier zit, en niet dáár. 'Misschien heeft de Judese God ons toch gespaard, juist door ons buiten de stad te brengen', mijmert ze hardop. Zou het zo kunnen zijn? Dat Elohiem, de God die niks van zich laat merken, hen over de muur heeft laten vallen om hen te beschermen? Het leek zo'n tegenslag, maar misschien was het wel hun redding. Zou die God zoiets ook voorhebben met Lakis, de stad die nu in brand staat?

Een nieuw probleem dringt zich aan Akila op. 'Stel dat de Assyriërs winnen,' zegt ze tegen Itai, 'wat moeten we dan doen? Teruggaan en ons overgeven of zoiets? Of denk je dat ze de mensen gewoon weer vrijlaten? Als dat zo is, kunnen we daar beter op wachten. Hier zijn we tenminste veilig.'

'De Assyriërs winnen echt niet', zegt Itai geërgerd.

'Ja, maar stél ...' zegt Akila. 'Daar moeten we toch over nadenken? Je ziet toch dat de stad in brand staat?' Ze heeft geen zin om weer ruzie te krijgen, maar dit is een serieus probleem. 'Als de Lakisieten in ballingschap gaan, zullen wij toch mee moeten?'

'Ach!' zegt Itai en hij blijft strak voor zich uit kijken.

Nu is Akila geërgerd. 'Jij hebt makkelijk praten. Jij weet helemaal niet hoe het is om alles te moeten achterlaten. Ik toevallig wel!'

Nu hebben we ruzie, denkt Akila, en hij zal wel met een of ander eigenwijs of gemeen antwoord komen. Maar Itai kijkt haar niet eens aan en antwoordt kalm: 'Je zegt net zelf dat Elohiem ons hier heeft gebracht. Dan zal Hij ons ook wel verder helpen. Het komt wel goed met Lakis. En ook met jou en mij. Ook al is dit een rampendag.'

Akila is met stomheid geslagen. Zo'n verstandige opmerking heeft ze nog nooit van Itai gehoord.

Ze hebben de uitkijkpost verlaten en lopen langs de zuidkant van de heuvels, Itai voorop. Beneden ligt een zanderig dal met daarachter lagere heuvels die in de verte steeds kaler lijken te worden: het begin van de uitgestrekte Negevwoestijn. Nu ze uit de wind zijn, slaat de hitte van de middag hard op Itai's hoofd en schouders neer. Akila heeft natuurlijk gelijk: áls Lakis verliest, wat hij zich nog steeds nauwelijks kan voorstellen, moeten ze op een of andere manier zorgen dat ze weer bij hun families komen. Onwillekeurig voelt hij met zijn vingers het amulet dat onder zijn kleed op zijn borst hangt. Hij snapt het niet. Als hij in zijn eentje de Assyriër en zijn afgod kon overwinnen, waarom redt Elohiem Lakis dan niet?

'Itai, bukken', fluistert Akila hem opeens in de rug. Ze is al tussen de lage struiken gedoken.

Meteen zit hij naast haar: hij heeft met Akila al te veel gevaren doorstaan om zo'n waarschuwing te negeren. Eerst doen, dan vragen stellen. 'Wat is er?'

'Daar, aan de overkant, onder aan die heuvel!'

Itai's ogen doorzoeken het gebied. Hij ziet niks.

'Er bewoog iets', fluistert Akila. 'Volgens mij liep daar iemand.'

'Weet je zeker dat het geen dier was?'

'Nee. Kijk, daar!' Ze wijst met haar vinger tussen de struiken door. 'Hij is volgens mij ook weggedoken. Hij heeft ons zeker gezien!'

Itai kijkt en kijkt. Hij ziet een roodbruinachtig stipje tussen de struiken en rotsen. Zou Akila gelijk hebben? Beter geen risico's nemen.

'Op de grond liggen', zegt hij. 'We moeten wegsluipen en zorgen dat we uit het zicht komen.'

Gelukkig, op een tiental passen afstand groeien de struiken hoger en dikker: jeneverbessen, daarna een bosje wilde rozenstruiken. Daarachter de rand van het bos. 'Als we die bereiken, kunnen we rondtrekken en boven de plek komen waar hij zit', fluistert Itai. 'Je moet altijd proberen boven de vijand te komen. Dan kun je zien zonder gezien te worden.'

Ze schuiven op buik en ellebogen door het stof. Door een windvlaagje krijgt Itai zijn gezicht en mond vol stuifzand, maar hij spuugt het uit, het deert hem niet. Eindelijk valt er weer eens wat te beleven!

Akila is wat achterop geraakt, maar even later hebben ze de rand van het bos bereikt. Ze wringen zich door een walletje kreupelhout heen en kruipen dieper het bos in. Daar is de bosgrond minder begroeid en kunnen ze snelheid maken. Op een draf lopen ze de helling af. Het bos eindigt een stuk verderop in het dal. Ze sprinten het dal door en rennen de tegenovergelegen helling op. Een tweetal kleine heuvels scheidt hen nu van de onbekende persoon die ze hebben gezien. Behoedzaam lopen ze tot vlak onder de top van de tweede. Daar gaan ze weer op hun buik liggen, Itai voorop.

Als hij over de kam kan kijken, houdt hij stil. Akila komt naast hem. Niks. Waar ze ook kijken, niks.

'Het was toch hier?' Itai vormt de woorden met zijn mond zonder geluid te maken.

Akila knikt heftig.

Itai haalt de schouders op. 'Niemand te bekennen!'

Ze wachten en kijken, wachten en kijken. Het duurt lang. Niks te zien, niks te horen. Itai begint zich te vervelen. Misschien had Akila het mis en was er niemand. Hij draait zijn lichaam totdat hij achterstevoren ligt, wenkt Akila met zijn hoofd en fluistert: 'Laten we gaan.'

Via een omweg door het bos lopen ze terug richting hun schuilplaats. In het dal ervoor dalen ze af naar de beek om water te drinken. Dan stroomafwaarts tot ze onder aan hun eigen dal staan en weer omhoog. Naar huis. Maar op dertig passen van de grot blijft Itai als vastgenageld staan. Op de steen naast de opening van hun schuilplaats zit iemand. Het is Adalja! Kennelijk weet zij allang dat ze eraan komen, want ze zit rustig haar kind te voeden. Dan zwaait ze met één arm in hun richting – alsof ze hen op visite verwacht!

Akila heeft een gil gegeven en is Itai al vooruit gesprint. Wat kan die meid rennen! Itai slentert er achteraan. Akila en Adalja vliegen elkaar om de hals – voor zover dat kan met de kleine Ronen op zijn moeders arm. Naderbij gekomen krijgt Itai ook een stevige knuffel van Adalja – iets té stevig voor een stoere veldloper, vindt hij eigenlijk, maar de grijns op zijn gezicht kan hij niet bedwingen: hij is van binnen net zo gelukkig met deze hereniging als Akila en Adalja. En Ronen!

'Hai, Ronen!' zegt hij in het kleine, verbaasde gezichtje. 'Wat ben ik blij je te zien! Eindelijk weer een kerel in de buurt!' De vrouwen schieten in de lach, terwijl Itai de peuter van Adalja overneemt.

'En eindelijk weer een vrouw in de buurt!' zegt Akila uitdagend.

Ze lachen alle drie. Itai wipt Ronen een paar keer in de lucht totdat het ventje begint te gieren van geluk. Wat een wonder dat ze elkaar gevonden hebben. Wat een geluk op deze dag van ellende!

Het gezelschap en de gesprekken over alle avonturen die ze hebben beleefd zijn als de koelte van de avond: ze worden erdoor verkwikt, opgefrist. Ze krijgen hoop. Voor Itai voelt het alsof de komst van Adalja en de baby een slag is voor de Assyriërs en een overwinning voor Lakis: het begin van een keer in hun lot. Nog even en alles zal weer zijn zoals het was.

Als ze flink gepraat hebben en alles verteld is – alleen over het amulet zegt Itai niks, en Akila gelukkig ook niet – en water gedronken hebben en wat vruchten gegeten, is het een poos stil. Adalja geeft Ronen de borst. Na een paar slokken valt hij tevreden in slaap op haar schoot.

In de schemering neemt Adalja weer het woord. Nu klinkt haar stem ernstig. 'Hebben jullie de brand gezien vandaag?'

Ze knikken beiden.

'Dan weet je dat het er slecht uit ziet voor Lakis.'

Itai slikt stilletjes. Zulke onheilspellende woorden wil hij niet horen, niet nu alles net beter gaat!

Adalja gaat verder. 'Vanochtend in alle vroegte heb ik vanaf de zuidoostelijke kant de stad benaderd. Ik kon zien dat de poort zwaar beschadigd is. De muur aan de zuidkant hebben jullie zelf gezien: die begint zwaar af te brokkelen.'

'Wat was dat wat ze eraf gooiden vandaag?' vraagt Akila. 'Zag jij dat ook?'

'Ik denk een ossenwagen of zoiets. Onze mensen zijn kennelijk de wanhoop nabij. Terwijl de kracht van de Assyriërs juist lijkt toe te nemen.' Adalja vervolgt. 'Het kan binnen een dag, of hooguit twee, afgelopen zijn.' Ze kijkt ernstig van Akila naar Itai. 'Ik ben bang dat Lakis zal vallen.'

Itai, tegen de achterwand van de grot gezeten, voelt zichzelf bijna vallen. Een golf van duizeligheid rolt over hem. Dit kan niet waar zijn!

'We moeten morgen bespreken welke mogelijkheden we hebben', zegt Adalja en onwillekeurig kijkt Akila naar Itai met een blik van: dat bedoelde ik dus.

'Wat denk jij?' vraagt ze, terwijl ze dichter naar Adalja toeschuift.

'Ik weet het nog niet.' Adalja glimlacht geruststellend. 'Maar ik weet dat Elohiem ons wijsheid zal sche...'

Adalja zit ineens roerloos met een hand aan haar oorschelp. In het binnenvallende maanlicht ziet haar gezicht lijkbleek. Itai en Akila kijken haar vragend aan maar durven geen geluid te maken. Wat heeft ze gehoord? Daar, nu hoort hij het ook!

'Oi, oi ...' Een zware mannenstem, buiten, vlak boven hen! Voetstappen. Een steentje en wat zandkorrels rollen over de rand van de grotopening en vallen vlak voor hen op de grond. Verstijfd van schrik drukt Itai zich tegen de achterwand, grabbelt paniekerig het mesje uit zijn gordel. Zijn hart bonkt onder zijn ribben.

'Bij de staf van Mozes, zouden we geen wachtpost uitzetten, met zoveel Assyriërs in de buurt?' Een ontspannen toontje, Hebreeuwse woorden: die stem klinkt bekend!

Plof! Met een doffe klap landen twee voeten voor de grotopening op de grond. Itai ziet in de donkerte een stel benen, de leren riemen van een slinger, een arm, een hand met een werpspies. Nog voor iemand iets kan doen of zeggen buigt een mannenlichaam zich voorover. Een beschaduwd gezicht loert de grot in. 'Sjalom, sjalom', zegt de stem opgewekt, alsof hij een feestsamenkomst binnenstapt. 'Ik zie,' zegt hij, terwijl hij bukt om de grot in te komen, 'dat dit een verblijfplaats is voor nederige mensen.' Itai heeft opeens door wie het is: Harad! Harad de linkshandige! Maar van verbazing blijft Itai tegen de achterwand geplakt, net als Adalja en Akila. 'Bij de tenten van Abraham,' zegt Harad, half mopperend, 'ik had wel een warmer welkom verwacht. Spreekt niemand hier meer Hebreeuws?' Harad port Itai met zijn spies zachtjes tegen het been en begint te schuddebuiken van het lachen.

HOOFDSTUK 11

Erger dan een nachtmerrie

Van slapen komt weinig die nacht. Als de eerste verbazing over de nachtelijke ontmoeting voorbij is, biedt Akila aan om voor iedereen water te gaan halen in de waterzak die Adalja bij zich droeg.

'Goed plan', zegt Harad en hij knipoogt in het maanlicht naar haar. 'Daarna lijkt het me de hoogste tijd om verhalen uit te wisselen!'

Akila kent Harad niet goed, maar ze weet nu al dat ze hem mag. Ondanks de ernst van de situatie zit hij vol grapjes en goede moed. Terwijl ze de grot uit loopt zegt hij: 'Bij de put van Jozef, ik had niet gedacht dat ik hier in een hol onder de Migdal Gad drie stadgenoten zou tegenkomen!'

'Vier,' hoort ze Itai nog net antwoorden, 'je vergeet Ronen.'

Terwijl ze naar de beek rent, moet ze glimlachen om het gezelschap dat in de grot bij elkaar zit: het lijkt net een keurig gezinnetje. Alleen ze horen geen van allen bij elkaar. Of misschien toch.

Als ze terugkomt, is Itai Harad aan het bestoken met vragen. 'Hoe denk jij dat Lakis ervoor staat? Gaan we het nog winnen? Waarom zijn er geen versterkingen gekomen uit de andere steden? Zijn Maresa en Azeka soms al omsingeld?'

'Bij de Eufraat en de Tigris!' zegt Harad met gespeelde verbazing. 'Heb jij al zo lang niet gepraat dat het er nu allemaal in één keer uit stroomt, jongen?'

Itai vraagt gewoon door. 'Denk je dat de Assyriërs echt iedereen in ballingschap willen voeren?'

Akila schraapt haar keel en onderbreekt hem. 'Misschien is het wel fijn om eerst van Harad te horen,' ze werpt een schuine blik op Adalja, 'hoe Uzi en de anderen het maken.'

'Ja! En Barak en Noa en mijn ouders!' gaat Itai onverstoorbaar verder. 'En El-Natan! Is die nog ziek?'

Akila kijkt Itai boos aan, maar gelukkig, Harad schuift op zijn achterste tot hij vlakbij hem zit en legt een hand op zijn knie. Itai komt tot zwijgen.

'Adalja', zegt Harad. Zijn stem klinkt ernstig. 'Het belangrijkste nieuws eerst.' Iedereen luistert. 'Uzi heeft gevochten als een leeuw. Hij heeft vele keren zijn leven voor Lakis gewaagd en de laatste keer voor mij. Dankzij hem kon ik levend ontkomen.' Korte stilte. 'Maar ... ik kan je niet met zekerheid zeggen of hij het zelf heeft overleefd. Dat is de waarheid.'

Akila luistert gespannen, haar vingers knijpen zo hard in haar bovenbenen dat het zeer doet. Uzi!

'Ik begrijp het', antwoordt Adalja. 'Hij is in Elohiems hand. Zoals wij allen.' Harad knikt. Akila wil vragen of er echt niet meer bekend is over Uzi, maar ze ziet dat het weinig zin heeft.

'Vertel ons hoe het je is vergaan', vervolgt Adalja.

Harad vertelt. 'We waren bij de poort, het was het begin van de middagwacht. Er werd fel gevochten. De poort was al zwaar beschadigd geraakt door een domme fout van onze kant – dat verhaal vertel ik misschien een andere keer. Ik stond boven de poort op de buitenmuur, maar toen ik zag dat de mannen beneden moeite hadden een paar Assyriërs tegen te houden die door een bres probeerden binnen te komen, sprong ik erop af. Met een dik schild voor zich hakten ze in op het versplinterde hout waar al een gat in zat. Onze jongens haalden balken om ervoor te leggen, maar niet snel genoeg. Het gat werd zo groot dat ze erdoor konden. Op volle kracht stortten twee Assyriërs zich erin. Het zijn keiharde vechters, dat moet gezegd! Ik raakte in een zwaardgevecht met de tweede, maar een derde – die half in de opening stond –

rukte aan m'n schouder en we tuimelden alledrie naar buiten, de weg op buiten de poort. Die twee kon ik van me af slaan, maar meteen dook een zwerm andere Assyriërs op me af. Door het gat in de poort kon ik niet terug, daar zat een brede Assyriër,' Harad grinnikt en zijn ogen twinkelen kort, 'en die zat daar als een kurk in een pot. Dus ik zette het op een lopen. Toen ik onder in het dal omkeek zaten er mij drie op de hielen. Ik kreeg een pijl in mijn rechter bovenarm. Waar kon ik heen?' Hij heft zijn handen hulpeloos op. 'Loopt lastig met zo'n pijl in je arm, hoor! Dus ik stopte en draaide me om en zei tegen mezelf: "Harad, bij de slinger van David, nu moet je niet vluchten, maar vechten!"'

'En toen?' Het verhaal kan Itai niet snel genoeg gaan. Ook Akila luistert ademloos.

'Toen kwam Uzi', zegt Harad. 'En bij het zwaard van Gideon, dát hebben mijn belagers geweten!'

Akila kijkt naar Itai, die glundert van opwinding. Ze hoort Adalja een keer slikken.

'Eén ding kan ik over Uzi zeggen: hij is op zijn best als de vijand in de meerderheid is. Hoe groter de overmacht, des te machtiger is de arm van Uzi. Hoe hij van de muur af is gekomen weet ik niet, maar brullend als een leeuw stormde hij op ons af en voor ik het wist lag de eerste Assyriër op de grond en stond hij naast mij de andere twee de baard te snoeien met zijn zwaard. En tussendoor rukte hij de pijl uit m'n arm. Ik bloedde als een offerlam, maar kon tenminste weer bewegen. Inmiddels kwamen er nog meer Assyriërs aan. Het was of we gratis wijn uitdeelden, zo gretig als ze waren. We probeerden richting de poort te komen, waar we meer dekking zouden hebben van onze jongens en misschien al vechtend weer naar binnen konden glippen. Even leek het te lukken, maar op 't laatst werd ons de pas afgesneden. We moesten buiten langs de muur wegrennen.'

'En toen?' vraagt Itai weer.

'De Assyriërs hebben iets verderop een andere aanvalsdam weten aan te leggen; die kunnen jullie van hier niet zien.'

'Ik heb hem gezien', zegt Adalja. 'Links van de poort, als je buiten staat.'

'Klopt. Daar liepen we weer vast; we konden niet verder. De jongens boven ons zorgden voor een regen van pijlen en slingerstenen op de achtervolgers; er zijn er heel wat gevallen. Maar een paar van die boeven stonden nu vlak bij ons. Toen zag ik dat ze van de andere kant ook naderden. 'We zitten klem!' riep ik tegen Uzi. Maar Uzi kent die hele uitdrukking niet: hij zit nooit klem. 'Ren jij het dal in!' zei hij. 'Ik hou ze van je af!' Ik bleef mooi naast hem om de Assyriërs van ons af te slaan. Maar hij riep: 'Dat is een bevel! Nu!' Ik was nog steeds niet van plan te luisteren, maar toen draaide hij zich tussen twee zwaardslagen om en riep: 'Ik klim op hun stormram om je dekking te geven. Jou lukt dat niet met je arm. Vlucht het veld in!' En naar onze jongens boven riep hij: 'Geef Harad de volle dekking!' En voor ik iets kon zeggen, klom hij als een spin langs die stormram omhoog! Hij stond er bovenop te balanceren, vlak onder de rand van de stadsmuur en begon pijlen te schieten. En toen riep hij me nog na: "Ik zal je weerzien, Harad – zweer me dat je dat ook tegen Adalja zult zeggen als je haar vindt!"'

'En toen?' zeggen Itai en Akila nu tegelijk.

'Wat denk je? Ik zwoer wat ik kon en terwijl Uzi en de anderen me dekking gaven, ben ik gevlucht als Lot uit Sodom. Ik zeg tegen mezelf: Harad, bij de pijl van Jonatan, ditmaal moet je niet vechten, maar vluchten!' Opeens kijkt Harad naar de jonge vrouw. 'Adalja, je man heeft mijn leven gered. En niet voor de eerste keer. En je hebt gehoord welke boodschap ik je moest overbrengen.'

Adalja knikt bijna onmerkbaar.

'Alleen ... zoals gezegd, ik kan met geen mogelijkheid zeggen of hij het er zelf levend heeft afgebracht. Zijn positie was lastig, daar boven op die stormram, omringd door vijanden. Bij de vuist van Simson, wat hoop ik dat hij het gered heeft!'

Even valt het stil. Akila kijkt naar Adalja, die Ronen oppakt: hij is wat gaan huilen en ze gaat hem voeden. Zwijgend opent ze haar opperkleed en legt de baby aan haar borst, waar hij meteen gulzig begint te drinken. Het geklok van de baby is het enige geluid dat Akila hoort. Het lijkt alsof zelfs de krekels buiten tot zwijgen zijn gebracht door Harads verhaal. In het zilveren maanlicht ziet Akila een traan over Adalja's gezicht rollen; hij valt van haar wang op de welving van haar gevulde borst en rolt zo tegen de lipjes van de kleine Ronen aan. Het bittere vermengt zich met het zoete, denkt Akila en ze krijgt er zelf een traan van in de ogen.

Als de kleine weer in slaap valt, breekt Adalja de stilte. 'We moesten allemaal maar eens wat slaap zien te krijgen.'

'Maar niet voordat we een wacht hebben uitgezet', zegt Harad.

'Ik eerst!' zegt Itai en hij zit al op zijn hurken om naar buiten te gaan.

Harad lacht. 'Fijn dat je zo gretig bent, jongen. Maar als je echt tuk bent op wachtlopen ga je eerst slapen en neem je straks de middelste wake, want die is zwaarder. Dan neemt Akila met mij de eerste.'

Akila en Harad gaan op het hellinkje boven de schuilplaats op een rots zitten. Doordat de maan al flink is geklommen is het schijnsel van de sterren zwak, maar het landschap baadt in zilverachtig licht. Aan de schimmige westelijke horizon zien ze vaag de omtrekken van de stad. Een enkele keer zweeft een menselijke kreet over het veld naar hen toe. De boogschutter, het sterrenbeeld dat Akila Itai heeft leren herkennen, is onder de kim verdwenen; zelfs de geitvis[9] is bezig af te dalen in de onderwereld: alleen zijn hoorn – of is dat de staart? – is nog zichtbaar. En Elohiem, is Hij ook vertrokken of is Hij er nog? Ze wil het Harad vragen, maar durft niet. In plaats daarvan stelt ze haar vraag in stilte aan de nacht.

9 Steenbok

Als Itai de volgende ochtend wakker wordt, ligt alleen Akila nog in de grot. Buiten ziet hij dat Adalja net terugkomt van de beek met Ronen op de arm. Hij begroet haar en vraagt of hij met de kleine zal spelen.

'Drink eerst wat, en eet wat charoev', zegt ze. 'Dan mag je met Ronen spelen. Maar alleen in de grot.'

Een poosje later komt Harad terug van een verkenningstochtje. Nu ziet Itai dat zijn rechter bovenarm is verbonden met een reep stof van zijn eigen kleed.

'Vandaag is de beslissende dag voor Lakis. Het lijkt me verstandig dat we een veilige plek zoeken vanwaar we de gebeurtenissen goed kunnen volgen', zegt hij. 'Aan de hand daarvan maken we een plan voor de komende dagen.'

'Wij weten wel een goeie plek', zegt Itai. 'Daar hebben wij ook steeds op de uitkijk gezeten.'

Als Adalja's waterzak gevuld is en de resterende vruchten zijn opgegeten gaan ze op weg.

Itai's opwinding over alle gebeurtenissen maakt plaats voor een gevoel van onrust. *Vandaag is de beslissende dag voor Lakis.* Zou het dan mogelijk zijn dat Lakis onder hun ogen ten val komt? Hij weet niet of hij dat zo graag wil zien.

'Zal ik anders dadels gaan plukken aan de andere kant van de Migdal?' oppert hij.

Hij ziet dat Adalja hem onderzoekend aankijkt. Maar Harad wil er niks van weten. 'We moeten bij elkaar blijven, jongen. Dat is belangrijk op dit moment.'

Itai gaat achter de rots zitten, met de rug naar het strijdtoneel. De zon is al hoog en warm, ze hebben lang geslapen die ochtend. Over enkele weken kunnen de vroege regens beginnen, dan wordt het geleidelijk aan koeler, maar daar is nu nog niks van te merken. Hoogstens zijn de struiken en het wilde gras wat verder verkleurd sinds hij met Akila op het veld is: van groen, rood en geel in een kleiig grijsbruin. De acaciabomen in de verte, een uitloper van het

Woud van Amazia, hebben de regens ook hard nodig zo te zien: ze hangen erbij alsof ze moe zijn van de hitte. Itai is ook moe. Moe van het denken, moe van de onzekerheid over de toekomst, moe van het gescheiden zijn van zijn familie. Zelfs moe van het amulet onder zijn kleed: het helpt hen toch niks.

Harad leunt achterover op de rots en tikt Itai op de schouder. 'Ik zou toch maar komen kijken, Itai', zegt hij rustig. 'Het gaat allemaal niet lang meer duren. En het is ook jouw stad.'

Met buikpijn klautert Itai over de rots. Hij hoort de geluiden. Nu moet hij het maar onder ogen zien. 'Help mij, Elohiem', fluistert hij in zichzelf.

Het geschreeuw, gekraak en gebeuk en de klappen van ijzer op ijzer klinken heftig. Op de aanvalsdam en ook op en rond de muren ziet het zwart van de soldaten. De afstand is te groot om de kleuren te onderscheiden. Door de lucht ziet hij oranje vuurpijlen met staarten van rook schieten en het geflits van smalle zilveren pijlen. Waarschijnlijk vliegen er ook slingerstenen, maar die ziet hij niet. Iemand tuimelt van de muur, stuitert met een schok op de rand en rolt in de diepte van het dal. Het is erger dan een nachtmerrie. Nu zien Itai en de anderen naast een van de stormrammen – er staan er wel vijf naast elkaar! – een groot stuk van de zuidelijke muur afbrokkelen. Het is een onwerkelijk gezicht omdat het rommelende geluid van vallend gesteente hen pas een paar tellen later bereikt. Meteen stromen de soldaten als een golf de bres in. Maar wat is dat? Een ander deel van de soldaten stroomt juist de andere kant op.

'De ene groep gaat de bres in, terwijl de andere de poort gaat bestormen', zegt Harad. 'Slim van hen. Zo moeten wij onze aandacht blijven verdelen – en zij zijn in de meerderheid.'

Al snel stijgt op de plaats waar de poort moet zitten een rookpluim op. Itai verwacht hetzelfde beeld als de dag ervoor, maar deze rookwolk verbreidt zich veel sneller. Er staat een heel stuk van de westelijke stad in brand. Het geschreeuw is het naarst en als Itai denkt dat hij een vrouwenstem hoort gillen kan hij het niet laten zijn oren dicht te stoppen. Ima! Abba! El-Natan! Wat zou er met hen gebeuren? Elohiem, doe iets! Hij kijkt naar de blauwe hemel: stort dan vuur uit op de Assyriërs!

Het vuur in de stad heeft zich verspreid naar het gouverneurspaleis. Vlammen schieten de hoogte in, aangewakkerd door de opstekende middagwind, ze lurken aan de muren, krullen omhoog. Nog even – ja, de eerste van de vaandels van Lakis die daar hoog boven de stad uitsteken stort als een ontbrande lucifer neer. Itai denkt aan hun huis en de werkplaats van zijn vader daar vlakbij, de potten, het gereedschap. Opeens schiet hem te binnen dat hij ze moest inpakken van ima – hij heeft dat karwei nooit afgemaakt! Zijn ogen vullen zich met tranen en hij grient als een peuter, een stroom tranen die niet meer wil stoppen.

Op zijn schouder voelt Itai de arm van Harad. Hij kijkt omhoog in het gezicht van de soldaat. Harad knikt hem toe. 'Houd moed, kleine man', zegt hij zacht.

Verderop is Ronen gaan huilen. Adalja houdt zijn gezichtje stevig tegen haar wang aan. Haar ogen houdt ze gesloten, de kaken stijf. En opeens is het alsof alle twijfels en aanvechtingen en onzekerheid van de afgelopen maand geweken zijn en Itai de waarheid zo helder voor zich ziet als de blauwe lucht daarboven: Lakis is gevallen. En als Lakis valt, zullen de kleinere steden van de Sjefela ook niet blijven staan. Op deze dag wordt alles anders.

Een lange tijd kijkt het groepje vluchtelingen in stilte toe. Terwijl de rookwolken zich verspreiden neemt de drukte rond de zuidelijke muur langzaam maar zeker af. Ook de geluiden beginnen te vervagen. Tegen het einde van de middag zien ze een lange stroom mensen om de hoek van de zuidelijke muur komen, kennelijk vanaf de poort. Er is nu geen teken van haast meer als de stoet zich richting het Assyrische kamp beweegt. Gevangenen. Itai wil weten wat er met hen gaat gebeuren, maar heeft de moed niet meer het te vragen. Verslagen kijkt hij toe hoe de chaos van de belegering

langzaam verandert in rust en orde. De orde van de Assyriërs, de rust van de onderworpenheid. Zijn ogen dwalen naar het noorden, waar de Assyriërs vandaan kwamen. Starend naar de horizon probeert hij een glimp op te vangen van hun nieuwe toekomst, maar hij ziet alleen een lege lucht en een lege Sjefela.

HOOFDSTUK 12

Vlucht naar het zuiden

R uim voor zonsopgang wordt Akila wakker van stemmen buiten de schuilplaats. Als ze de grot uit komt, ziet ze Harad die
terug is van een verkenningstocht. Hij heeft een verrassing meegebracht: drie Lakisieten die in de laatste slag om Lakis zijn ontkomen.

'Jij moet Akila zijn!' zegt één van hen. Akila knikt en wrijft de
slaap uit haar ogen.

'Maar betekent dat dat Itai hier ook is?' De stem klinkt verbaasd.

'Ja.' Nu herkent ze de vrouw: het is Zara, de vrouw van Elchai de
koopman. Naast haar staat Lea, een oudere weduwe, en een man
die ze niet herkent.

De drie gevluchte Lakisieten kijken elkaar verwonderd aan.

'We waren bang dat jullie beiden omgekomen of door de Assyriërs
onderschept waren', zegt de man. Akila kent hem niet. 'Jullie
ouders hebben het ergste gevreesd.'

Zara voegt er snel aan toe: 'Maar ze hebben zich moedig gehouden, hoor!'

Als Itai verschijnt, begint Zara hem te betasten en omhelzen en
zoenen tot hij er rood van wordt. Akila kan een grinnik niet onderdrukken.

De man, Simi, een slome grijzaard, weet met moeite te vertellen
dat Itai's ouders, Jatsar en Sjamira, het naar omstandigheden goed
maken. 'Ik geloof dat ik hen gistermiddag voor het laatst heb
gezien bij de gevangenen voordat die naar het Assyrische kamp
werden geleid', zegt hij.

'En El-Natan, mijn broertje?' vraagt Itai.

'Die was bij hen, ja, dat geloof ik wel. Hij is ziek, is het niet?'

'Nog steeds dus ...', zegt Itai. Hij kijkt naar de grond, schopt een steentje weg. Akila beseft dat hij zijn broertje erg moet missen.

'Heeft u Barak en Noa ook gezien? En ...' Ze aarzelt. 'Uzi?'

'Uzi heb ik gezien. Hij raakte een paar dagen geleden buiten de muur gewond maar hij is hersteld.'

'Echt waar? Oh, Adalja!' De twee geven elkaar een stevige knuffel.

'En waar zag u hem voor het laatst?'

Simi fronst de wenkbrauwen en ademt langzaam uit. 'Hij en Barak en enkele andere oversten werden meegenomen naar een ander deel van het kamp. Dacht ik tenminste.' Hij krabt zich op het achterhoofd.

'Heeft u Barak en Noa gezien?' vraagt Akila nog een keer.

Simi knikt ernstig. 'Je vader is een moedig en machtig man.'

Akila is gevleid, maar denkt: waarom geef je geen antwoord op de vraag? 'Heeft u hen gezien of niet?'

De man krabt nog een keer aan zijn achterhoofd.

'Lakis had zich in deze boze dagen geen betere opperbevelhebber kunnen wensen dan Barak, moge Elohiem hem zegenen en behoeden.'

'Maar hoe maakte hij het toen u hem voor het laatst zag?' vraagt Adalja.

De man blijft zijn hoofd krabben en zijn wenkbrauwen fronsen.

'Hij zag er als altijd fier en krachtig uit toen ik hem zag', begint de man. Dan kijkt hij naar de grond. 'Maar ... ze waren ... ze werden ... Ik kan het me allemaal niet precies herinneren.'

Zara valt bij: 'Voor zover ik weet werden Barak en Uzi met de gouverneur en enkele anderen meegenomen door een stel Assyrische hoofdlieden.'

'Wat betekent dat? Adalja?' Akila is haar verlegenheid ineens vergeten.

Simi heft machteloos de handen op. 'Ik weet niet wat ze met hen gaan doen, het spijt me. Barak was natuurlijk de grootste plaag van de Assyriërs. Met de gouverneur natuurlijk ...'

Akila schrikt van een plotseling besef. Natuurlijk, waarom heeft ze dat nooit eerder bedacht: als opperbevelhebber zal haar vader door de Assyriërs extra streng behandeld worden. Ze krijgt een bang voorgevoel. Barak!

'We zullen het straks aan Harad vragen', zegt Adalja. 'Misschien kan hij er iets over zeggen. En Noa?'

Simi peinst, het gezicht vol rimpels. Het lijkt wel of zijn verstand steeds trager wordt, denkt Akila ongeduldig.

Zara antwoordt in zijn plaats. 'Noa was bij de andere gevangenen. Maar ze was vast van plan bij Barak te komen. "Waar Barak heen gaat, ga ik", zei ze steeds.' De vrouw buigt naar Adalja toe zoals ze vroeger in haar fruitkraam wel eens naar klanten toeboog om ze een nieuwtje te verklappen. 'Ze is een andere vrouw geworden door deze oorlog, hoor, die Noa. Het is net alsof de Assyrische belegering haar voor het eerst heeft doen inzien wat voor belangrijk werk haar man doet en hoeveel steun hij kan gebruiken van een sterke vrouw aan zijn zijde. "Waar Barak heen gaat, ga ik", ik hoor het haar nog zo zeggen. Een andere vrouw is het geworden. Voor ons vrouwen van Lakis een rots van kracht, hoor. Een rots van kracht.'

Akila's gedachten aan Barak en Noa worden onderbroken door de stem van Harad.

'Mensen, we moeten het kamp opbreken en snel vertrekken. Voor zonsopgang moeten we hier weg zijn. Nu Lakis is gevallen, heeft Sanherib zijn aandacht al op de omgeving gericht. De eerste troepen trokken vannacht al richting Maresa en Libna om de wacht die ze daar eerder hebben uitgezet te versterken. Spoedig zullen ze beide steden innemen en over de hele Sjefela uitwaaieren. Boven Athar stijgen al rookwolken op. We zijn hier ons leven niet zeker.'

De groep aanvaardt Harads leiderschap meteen. Akila raapt het voorraadje eten bij elkaar dat nog in de grot ligt; Itai komt haar helpen. Adalja wikkelt Ronen in de draagdoek op haar rug.

'Moge Elohiem je ouders beschermen', fluistert Akila tegen Adalja.

Adalja knikt. 'En de jouwe.'

'We gaan de Migdal Gad over naar het zuiden', zegt Harad als iedereen paraat staat. 'We volgen de laagste paden; niemand komt in het zicht van Lakis. We hebben één waterzak. Geen nood, als we doorlopen, bereiken we voor de middag de Nachal Adoraim[10]. Nadat we die overgestoken zijn, zoeken we een nieuwe schuilplaats. Dan zijn we ruim buiten de marsroute van de Assyriërs. Daar zullen we gezinnetje moeten spelen totdat we meer weten.' Hij grijnst. 'Heeft iedereen papa Harad begrepen?' Akila en de anderen proberen te lachen. 'Dan gaan we, bij het paard van Jehoe!'

Harad zet er flink de pas in. Akila is blij dat ze met Itai al zo veel heeft gelopen, anders had ze het niet volgehouden. Zwijgend marcheren ze achter Harad aan. Hij is mager en pezig maar zo taai als leer, denkt Akila. Van zijn gewonde arm schijnt hij geen enkele last te hebben.

Als de zonnestralen schuin in het Woud van Amazia vallen, zijn ze al over het hoogste punt van de Migdal Gad heen. Harad stopt. 'Als er nog iemand een laatste blik op Lakis wil werpen, kan dat nu', zegt hij. 'Over de flank van deze heuvel. Maar wel achter de struiken blijven.'

De hele groep loopt er stil naartoe. Als ze de flank passeren vanwaar de stad in het zicht komt, gaat Akila naast Itai staan. Niemand zegt iets. Er valt ook niks te zeggen. Lakis is een gebroken stad. De zuidelijke muur ligt in puin. Boven de ruïnes kringelen grijze rookslingers de ochtendlucht in. Aan de westkant, waar eens de sierlijke terebintenbomen stonden, is het één grote kaalslag – als een graanveld waar een horde kaalvreters[11] zich op heeft

[10] De Beek van Adoraim

[11] Een sprinkhanensoort die soms met duizenden tegelijk aan komt vliegen en in korte tijd een hele oogst kan vernielen.

gestort. En daarvoor, op de lagere heuvel die Sanherib als stijgbeugel heeft gebruikt om Lakis te bestijgen, ligt het Assyrische kamp,
groot, bedrijvig en weerzinwekkend. Sanherib, de ergste kaalvreter
van allemaal!

'Elohiem heeft ons overgeleverd aan de verslinders', mompelt
Simi.

Harad draait zich om naar het pad. De rest volgt. Lakis, de stad die
geen stad meer is, laten ze achter zich. Akila bidt zacht tot de God
van de Judeeërs: *Elohiem, bescherm de gevangenen. Ze zijn uw volk.
Maak Noa sterk. Laat Barak zijn laatste wapen, de moed, nooit opgeven.* Noa en Barak. Zal ze hen ooit weerzien? Zal ze ooit nog een
schouderklop krijgen van Barak, een omarming van Noa? *Maak
hen sterk en moedig. Tot het einde.*

Tegen de middag bereiken ze de Nachal Adoraim, maar de bedding is droog en verstikt door dor gras.

'We buigen iets af naar het zuidwesten', zegt Harad. 'Ik vermoed
dat er in de Nachal Kalech wel water stroomt. Daar zijn we later op
de middag. Vandaar gaan we weer terug in oostelijke richting om
een schuilplaats te zoeken.' Hij loopt door zonder iemand de kans
te geven vragen te stellen.

De dorst begint Akila te irriteren. Als ze slikt, voelt het alsof haar
keel dichtplakt en nu de zon op zijn hoogst staat, voelt ze een lichte hoofdpijn opkomen. Harad marcheert met Adalja en Itai een
stukje voor de anderen uit. Ze versnelt haar pas en haalt hen in.

'Mag ik de waterzak?' zegt Akila. 'Neem maar een slokje', zegt
Adalja. 'Er zit nog wat in.'

Akila biedt de anderen eerst wat aan. Alleen Itai neemt. Als het
haar beurt is, wil ze dolgraag verder slorpen maar ze vindt dat er
teminste nog één slokje in moet blijven voor Adalja, die een baby
te voeden heeft. Sterk zijn, Akila, net als Noa!

De tocht naar de beek van Kalech verloopt sneller dan gedacht en
Harads vermoeden blijkt juist: het water is er op plekken zelfs
enkeldiep. De reizigers lessen dankbaar hun dorst. Akila en Itai

gaan in het beekje zitten, Itai gaat zelfs languit liggen. Dat er bij alle ellende van deze dag nog zoiets heerlijks te beleven kan zijn als dit, denkt Akila. Wat is het koel en verkwikkend, alsof het zelfs je gewrichten binnen sijpelt en versterkt! Ze dankt de goden.

'Ik vind dat we hier de hele middag moeten blijven om alle zorgen en vermoeidheid door het water te laten wegspoelen', zegt ze en ze gooit een paar spetters richting Harad.

'Bij de wateren van de Grote Zee!' zegt Harad en hij schept razendsnel twee handen vol water over Akila heen. Itai springt op. Een watergevecht! Een poosje later zit iedereen, zelfs Simi de trage, doorweekt en voldaan op de oever. Maar Harad gunt hen niet veel rusttijd. Met druipende haren en een gevulde waterzak gaan ze weer op pad, tot ze in de namiddag de plek hebben gevonden die Harad blijkbaar in gedachten had.

'Schikt deze nieuwe woning u?' vraagt Harad terwijl hij een buiging maakt voor Akila.

Ze stappen door dichte begroeiing heen. De nieuwe schuilplaats is geen holte onder een uitstekende steen, zoals hun vorige twee, maar een echte grot, zo hoog als een huis en zo diep als twee.

'Door de begroeiing heen kunnen we daarginds de hellingen van de Migdal in de gaten houden', zegt Harad wijzend naar waar ze vandaan komen. 'Als de Assyriërs onverwacht toch naar het zuiden uitzwenken, kunnen we ze tijdig zien en binnen een paar tellen vertrekken.'

'En waar gaan we dan heen?' vraagt Simi.

'Kom maar mee.' Harad stapt de grot uit en beklimt met een paar lenige sprongen het hellinkje erboven. Akila, Simi en de anderen volgen.

'Aanschouw de voorhoven van de Negevwoestijn', zegt Harad.

Zo ver het oog reikt, ziet Akila een ruwe deken van heuvels en kloven, zanderig en bespikkeld met distelstruiken die kleiner en schaarser worden naarmate ze verder naar het zuiden kijkt. Daarachter ligt de onmetelijke woestijn. En daarachter: Egypte.

Umajma. Akila heeft de laatste tijd nauwelijks tijd gehad aan haar te denken. Zou ze ook sterk en moedig zijn geworden door alle moeilijkheden? Vast en zeker, denkt Akila. Vast en zeker. Net als Noa. Net als ... ik. En voor het eerst sinds hun afscheid denkt ze met trots en blijdschap aan haar moeder.

'Daar gaan we heen als de Assyriërs onze kant op komen', zegt Harad. 'Daar heeft geen enkele Assyriër iets te zoeken.'

'Waarom niet?' vraagt Simi.

'Omdat er niks te vinden is!' zegt Harad en hij geeft Simi lachend een klap op de schouder.

Akila moet ook lachen. En ze denkt: kon je maar zien hoe dapper ik ben, umajma!

De tweede dag sinds hun aankomst in de grot is bijna verstreken en Itai heeft er steeds meer last van: het amulet onder zijn kleed. Nog steeds is Akila de enige die ervan weet. Zij schijnt er niet meer aan te denken, maar Itai kan haast aan niets anders denken. 's Nachts drukt het als een priem in zijn borst, overdag hangt het als een last om zijn nek. Hij voelt zich ellendig. Hoe langer het duurt, hoe meer hij het gevoel krijgt dat alles zijn schuld is. Als hij zijn vader had gehoorzaamd en bij de put was gebleven, in plaats van die paar stappen verder te gaan; als hij dat amulet niet had gestolen ... Terwijl hij met een arm vol sprokkelhout naar de achterkant van het grotheuveltje slentert, kijkt hij stiekem op zijn borst. Dat vreselijke amulet, het lijkt wel of het in zijn huid brandt, of het koord in zijn hals snijdt. Hij moet ermee voor de dag komen. Hij wil het. Maar hoe? Met zijn vrije hand trekt hij het koordje achter zijn nek naar achteren zodat het kleitablet zichtbaar wordt. Hij kijkt onzeker omhoog naar de hemel. *Elohiem. Ik heb gezondigd. Red mij van de afgod. Ik weet niet hoe ik van hem afkom.*

Achter de heuvel zit Adalja gehurkt met twee vuurstenen bij een bundel disteltakken en kreupelhout het vuur aan te maken. Akila is een eind verderop met Ronen. Ze wijst naar de woestijn, maar wat ze erover vertelt is niet te horen. In het droge brandhout springen al vonkjes, zo dadelijk zal er een rooksliertje opkringelen en zal het vuur beginnen te spatten. Nu moet het maar gebeuren.

Itai buigt voorover om zijn sprokkelhout naast Adalja neer te leggen. Hij voelt het koord langs zijn hals glijden en uit zijn kleed vallen.

'Hee, wat heb je daar?' Adalja ziet het bungelen.

'Oh ...' Hij wordt rood en legt een hand op het amulet. Zijn verlangen om het te zeggen is even groot als zijn angst en schaamte.

Op hetzelfde moment komt Harad aangelopen met een arm vol zwaarder brandhout. 'Bij de brandende braamstruik, wat zullen wij vanavond een groot vuur opstoken – als we niet opletten komt het hele Assyrische leger zich eraan warmen!'

'Ga eens zitten', zegt Adalja tegen Itai. 'Is er iets?' Ze wrijft de vuurstenen nog een paar keer tegen elkaar. Nu springt de vonk over.

Harad legt zwijgend zijn hout neer. Hij merkt dat er iets aan de hand is.

Itai gaat zitten naast Adalja. Zijn hart bonkt.

'Wat is er, Itai? Wat heb je daar?' vraagt ze rustig. Ze buigt laag voorover en blaast een keer in de smeulende distels.

'Oh, niks', mompelt hij. 'Nou ja ... Het is geloof ik Assyrisch.' Zijn stem klinkt hem in de oren als die van een vreemde.

'Hoe kom je eraan? Mag ik het eens zien?'

Hij haalt zijn schouders op, licht met één hand het koord over zijn hoofd. Het blijft eerst achter zijn oor hangen, dan is het los.

Harad is tegenover hen geknield, legt zijn gezicht vlakbij de grond en blaast. Vanonder de takjes springt opeens een vlammetje omhoog. Nog één. Geknetter. Met een klamme hand houdt Itai het amulet en het koord aan Adalja voor. Hij kijkt naar de vlammetjes die zich gretig om de takjes krullen. Een verdorde distelknop vat vlam, een kleine explosie van spetters en steekvlammetjes. *Haal hun altaren omver, sla hun opgerichte stenen aan stukken, hak hun heilige palen om en verbrand hun beelden* ... Hij hoort het zijn vader weer zeggen.

Het amulet is uit zijn hand. Adalja houdt het in twee open hand-palmen voor zich. Itai kijkt naar de vlammen, nu handhoog. Hij legt er een dikkere tak op. De avond valt snel, het blauw van de hemel kleurt donkerder. De lucht koelt af. Wat zal ze zeggen?

Harad hurkt naast Adalja om mee te kijken. 'Bij de heilige taberna-kel!' zegt hij laag en langzaam. 'Weet jij wel wat dit is?!'

Itai durft Harad niet in de ogen te kijken.

'Een Assyrische beschermgod!' roept de soldaat. Hij kijkt Itai ver-baasd aan. 'En die draag jíj bij je?'

Itai kijkt schaapachtig van Harad naar Adalja naar het amulet. 'Ik ... ik ... ik heb 'm gevonden ...' Hij weet dat hij meer moet zeggen. 'Ik heb 'm van een Assyriër afgepakt.' Het hoge woord is eruit.

'Afgepakt!' Harad fluit lang en laag tussen zijn tanden. 'Afgepakt! Ha! Dus ik ben hier niet de enige soldaat, merk ik wel!' en hij gooit zijn hoofd in zijn nek en lacht.

'Maar hoe bedoel je, afgepakt?' vraagt Adalja, die het amulet wat verder van zich afhoudt nu ze weet wat het is.

'Het was vlak nadat we de stad uit gevlucht zijn', begint Itai zenuwachtig. 'Ik was 's avonds laat een eind gaan lopen langs de Nachal Lakis en toen zag ik in de verte bij de beek een paar Assyriërs. Ik wilde weglopen, maar ik was ook nieuwsgierig. Het was donker, ze konden mij niet zien.' Hij praat sneller. 'Een van die Assyriërs was die hoofdman die ons aan het begin heeft uit-gedaagd. Hij had een amulet om zijn hals. En een van de vrouwen die hij bij zich had ook. Hij heeft ze toen allebei op de oever gelegd en toen gingen ze verderop baden of zoiets. Toen heb ik er eentje gepakt.' Itai heeft niet alleen zijn eigen stem terug, maar ook het gevoel dat alles misschien toch nog goed zal komen als hij het hele verhaal eerlijk opbiecht. 'Ik heb het dus eigenlijk gestolen', zegt hij zacht. Het hoofd gebogen, de handen in de schoot.

Harad fluit nog een keer. 'Van een van de belangrijkste Assyrische leiders nog wel! Wist je wel wat het was?'

Itai kijkt op. 'Nee, maar Akila wel. Ik vond eerst dat ik iets goeds had gedaan om een afgod van de vijand af te pakken. Maar ... ik denk nu dat het niet goed was.'

'Waarom niet?' vraagt Adalja rustig.

Itai slikt. 'Ik ... ik denk dat je je niet moet inlaten met afgoden. Ik denk dat ik mezelf net zo belangrijk vond als Elohiem.'

Adalja schuift dichter naar hem toe en legt een arm om hem heen. Hij voelt tranen achter zijn ogen maar wil er niet aan toegeven. Het vuur is nu kniehoog en geeft al een warme gloed af. De vlammen dansen in de schemering. 'Waarom heb je 't niet eerder verteld?'

Itai snikt. 'Eerst wilde ik het bewaren. Later toen ik doorhad dat het fout was, wilde ik het vertellen, maar ik wist niet hoe.' Een hete traan perst zich naar buiten.

Harad heeft het amulet uit Adalja's hand genomen en zit er in de flikkering van het vuur aandachtig naar te kijken. 'Je kunt dat ding hier niet houden', zegt hij stellig. Op zijn hurken schuift hij dichterbij Itai.

Itai schudt het hoofd. Zijn onderlip trekt.

'Jij bent een Judeeër, je dient Elohiem!' zegt Harad. 'En weet je wie er op dit amulet staat?'

Itai schudt weer het hoofd. Adalja kijkt naar Harad.

'Het is Lamasjtoe.' Harads stem zakt tot een fluistering. 'Een demon die kinderen doodmaakt en opeet. Deze was van die vrouw, dat weet ik zeker.'

Itai schrikt van de woorden. Een demon die kinderen doodt?!

'Wil je weten hoe?' Harad kijkt Itai weer in de ogen. 'Het is belangrijk dat je weet waar je je mee hebt ingelaten.'

Itai slikt, bang voor wat Harad hem gaat vertellen op deze eenzame heuvel aan de rand van de woestijn waar de nacht snel valt.

'Lamasjtoe is een kwade geest', zegt Harad. 'Hij ontsteekt een vuur in de buik van de moeder die een kind gaat baren, of in het lichaam van het kind nadat het geboren is. Hij verteert hen als vuur.' Harad heeft een dunne tak gepakt en port opeens in de brandende takken zodat een wolk van vonken en vlammen op-vliegt, de nacht in. Itai staart in de zinderende gloed, schaduwen dansen over zijn lichaam. De hitte slaat op zijn schenen en han-den.

'Demonen zoals deze zijn rovers en dieven. Ze kennen geen wet en geen mededogen. Ze reizen in een wolk van duisternis. Stil sluipen ze 's nachts langs de woningen van de mensen op zoek naar een prooi, op zoek naar een moeder of kind om te verleiden met hun gesis. Als slangen glijden ze onder de deurposten door, als stof waaien ze door de raamopeningen, als winterkou die onder je kleed kruipt, kruipen zij in je geest!'

Itai voelt de tranen over zijn wangen stromen. Met zijn voorhoofd op zijn knieën leunend vraagt hij: 'Is het mijn schuld dat El-Natan ziek is geworden? Zal hij doodgaan omdat ik de afgod zo lang bij me heb gedragen?'

Hij voelt de omhelzing van Adalja en begint nu pas echt te huilen. 'Je hebt de afgod eer bewezen door hem krachten toe te kennen die alleen de Allerhoogste heeft', zegt Adalja. 'Maar je hebt boven-al jezelf geëerd. Je dacht dat je zelf met de goden mee kon doen. Wat El-Natan betreft: zijn ziekte begon lang voordat jij het amulet meenam. Lamasjtoe kan je broertje zieker noch beter kan maken. El-Natan is in de hand van de Ene.'

'Maar ik wil zo graag weten hoe het met hem gaat!' snottert Itai.

'Hij is in Elohiem's hand', zegt Adalja rustig en ze streelt Itai's haren.

Harad heeft het amulet omgekeerd om de achterkant te bestude-ren. 'Hier staat waarschijnlijk een bezweringsgebed. Dat zal wel gericht zijn aan weer een andere afgod, om de eigenaar of zijn kin-deren te beschermen tegen de duivelse Lamasjtoe. Dus je hebt twee goden gevangengenomen, jongen! Maar ze deugen geen van bei-den, bij de mantel van Elija!' Harad gooit het takje dat hij vasthield op het vuur. Het blanke hout wordt bruin, ontvlamt. Een paar tellen later krult het op en vergaat het tot as.

Itai veegt zijn ogen en neus af. Ondanks de hitte van het vuur voelt hij een rilling langs zijn rug en nek en oren gaan. Hij schuift dichter naar het vuur toe.

Adalja legt haar hand op zijn arm. 'Harad heeft gelijk, Itai. Je moet die demon wegdoen, en Elohiem bidden dat Hij je je onwetendheid en trots zal vergeven.'

Itai weet het, hij wil niks liever.

'Zal ik 'm voor je wegdoen?' vraagt Harad. 'Zal ik 'm stukmaken voor je?'

Hier heeft Itai al over nagedacht. Met onzekere stem vraagt hij: 'Is het niet beter als ik het zelf doe? En klei brandt niet. Ik wil het liever weggooien. Ver weg.'

'Haha!' lacht Harad. 'Je wil je eigen bressen herstellen. Goed gesproken, Itai, als een echte Judeeër! Kom op, dan!'

Intussen is Akila met Ronen op de arm op het vuur en het geluid af komen lopen. Ze heeft meteen door wat er gebeurt. Itai is blij dat hij haar ziet, dat zij dit ziet. Hij heeft iets met haar te bespreken.

Harad en hij gaan staan en Itai stapt achter Adalja langs naar de soldaat toe. Die legt het amulet met de afbeelding naar beneden in Itai's hand. 'Laat de afgod Lamasjtoe buigen voor de God van Juda.'

Itai sluit zijn vingers eromheen maar wil er niet meer naar kijken. Hij keert zich naar Akila. 'Wil jij anders een eindje met me meelopen?'

Akila geeft Ronen aan zijn moeder.

Met z'n tweeën lopen ze uit de kring van licht. Een eindje verderop stopt Itai en haalt een keer diep adem. 'Ik moet je iets zeggen.'

Akila knikt.

'Het spijt me dat ik zo dom en eigenwijs ben geweest.'

Akila kijkt naar de grond.

'Ik had beter naar je moeten luisteren en dat stomme amuletding meteen moeten weggooien. Vanaf het moment dat ik het heb meegenomen kregen we ruzie. Ik dacht dat ik Elohiem en ons volk hielp, maar eigenlijk gedroeg ik me alsof ik net zo belangrijk was als Hij.' Nu kijkt Itai ook naar de grond. 'Tegen jou ben ik ook gemeen geweest. Ik dacht dat ik de grote held was, maar ik heb ons alleen maar in gevaar gebracht. Terwijl jij je leven voor mij hebt gewaagd op de muur van Lakis.'

Akila haalt verlegen de schouders op. Het schijnsel van het vuur weerkaatst in haar zwarte haren. 'Het was niks', zegt ze. 'Ga dat ding maar wegdoen.' Ze knikken elkaar toe, waarna Akila zich omdraait en terugloopt naar de anderen.

Itai loopt de andere kant op. In zuidwestelijke richting – de richting waar hij en de anderen het minst te zoeken hebben. Hij loopt verder, het amulet in de hand naar beneden gehouden, de afgod die buigt voor Elohiem. Hij buigt zijn eigen hoofd en denkt aan een oud gebed: *Als wij de naam van onze God vergeten, onze handen uitstrekken naar een vreemde god, zou de Ene dat dan niet ontdekken? Hij kent de geheimen van ons hart.*

Onder een reepje bewolking aan de westelijke horizon hangt een bloedrode streep, daarboven is de hemel donker en weids. Geen maan. De grond, de struiken, zijn voeten – alles is duister. Hij loopt verder, het amulet weegt zwaar in zijn hand. Over een heuveltje, er weer af. Hij weet dat hij al uit het gezichtsveld van de anderen is, maar kijkt niet om. Nog een heuveltje op en af, een derde. De grond wordt rotsiger. Een scherpe punt bezorgt hem een schraam aan zijn enkel, maar hij let er niet op. Pas op het volgende heuveltje blijft hij staan. Daar voor hem ligt een diepe kloof. Diep en smal, een kloof waar mensen niet snel zullen komen. Hij kijkt om zich heen, omhoog. *Al de dagen van mijn leven mag ik terugkeren in het huis van de Ene.* Hij draait zich om. Het vuur is niet te zien, zelfs geen schijnsel.

Itai staat alleen aan de rand van de Sjefela, zijn land, op de rand van een onmetelijke woestijn. In de verte huilt een jakhals, en nog één en nog één, ruziënd als demonen om een karkas. Met gesloten ogen heft Itai het amulet in beide handen op zoals de priester een offer opheft, en bidt zijn gebed tot Elohiem, de God van de Judeeërs – *Elohiem, een milde God, vol medelijden, vol liefde en geduld, een God op wie je kunt vertrouwen.* Hij slaat zijn ogen verwachtingsvol op naar het donkere uitspansel boven hem, neemt het amulet in zijn rechterhand, strekt zijn rechterarm zo ver mogelijk naar achteren, spreidt zijn voeten, en met een machtige worp waar al zijn kracht en spijt en hoop in samengebald zijn, gooit hij het amulet van de Assyrische demon Lamasjtoe de kloof in. Twee keer hoort hij het van de stenen wand ketsen, tot het voorgoed in de duisternis is verdwenen.

HOOFDSTUK 13

Een dag van beslissingen

Achter het Woud van Amazia en langs de oostelijke kim wordt de oranje gloed van de opkomende zon zichtbaar. Het sterrenbeeld van de Slang in het zuidoosten is al weggeglipt, alleen in het westen knipperen nog een paar bleke sterren. Akila loopt in de koele ochtendlucht met twee waterzakken van de Beek van Kalech naar de grot. Ze loopt wat af nu, want het groepje vluchtelingen is in de dagen na Itaï's bekentenis gegroeid tot wel veertien mensen. Allemaal door Harad op zijn verkenningstochten opgepikt. En allemaal brengen ze hetzelfde bericht mee: heel Juda wordt nu onder de voet gelopen door de Assyriërs. Zelfs de hoofdstad Jeruzalem is in staat van beleg – al doen daarover vreemde en verwarrende verhalen de ronde, omdat de profeet Jesaja schijnt te hebben gezegd dat Jeruzalem gespaard zal blijven.
Bekenden zijn er niet onder de nieuwkomers en nieuws van andere bekenden is er evenmin. Drie inwoners van Maresa – een weduwe, haar zoon Omets die een paar jaar ouder is dan Akila, en een klein meisje dat ze onderweg hebben meegenomen – hebben Adalja's ouders Motsa en Rachel nog wel gezien. Maar wat er met hen gebeurd is, weten ze niet.
Akila begint het water uit de twee zakken in een grotere waterzak te gieten die één van de vluchtelingen heeft meegebracht.
'Sjalom, sjalom!' Akila kijkt op, het is de stem van Harad. De linkshandige slingeraar komt terug van een nachtelijke tocht met Omets. Ze lopen naar de grotopening. Omets, ondanks zijn jonge leeftijd net zo lang als Harad, heeft een konijn aan zijn pijlkoker

bungelen. Hij heeft sinds zijn komst al meerdere keren vlees meegebracht en wat heeft dat goed gesmaakt na al die peulen en
vruchten! Volgens Harad kan Omets jagen als een bergleeuw.
Akila kijkt naar hem terwijl hij het gevilde konijn naast de vuur-
plaats legt en ernaast hurkt. Hij is een jongen die voornamelijk
buiten op het veld leeft, een echte jager. Zijn bruine krullen vallen
tot op zijn schouders. Op zijn kaken ziet Akila een donslaagje
groeien. Als hij haar opeens aankijkt, wendt Akila snel haar blik
naar de waterzak waar ze mee bezig is. Ze voelt zich rood worden.
Op hetzelfde moment komt Harad de grot weer uit. Druppels-
gewijs volgen de andere vluchtelingen hem, totdat even later de
hele groep rond het vuurtje zit dat Omets al heeft aangestoken.
Harad blijft als enige staan. Blijkbaar heeft hij nieuws.
Hij kijkt de groep rond. 'Ik zal het kort houden', zegt hij. 'Ze
beginnen bij Lakis in beweging te komen. Ook de gevangenen. Ik
denk dat het verstandig is als alle Lakisieten meekomen om het
zelf te zien. Daarna is het tijd om te overleggen.'
Nog geen anderhalf uur later naderen ze een uitloper van de
Migdal Gad. Als ze daar overheen zijn kunnen ze op afstand Lakis
zien. Net als gisteren ziet Akila hoog boven zich zilveren windve-
ren, als fijn rag uitgesponnen boven hun hoofden. De eerste wolken van over de zee. Te licht om regen te dragen, maar hun opvol-
gers zullen dat wel doen, het hoeft niet lang meer te duren. En
dan? Hoe lang zullen ze als vluchtelingen in het veld blijven?
Misschien zal wat ze dadelijk gaan zien duidelijkheid brengen.
Akila loopt achter Adalja en Ronen de helling op. Voor Adalja
lopen Zara en Lea, daarvoor Simi met zijn lange passen, en vooraan Harad en Itai.
Harad houdt de pas in, kijkt achterom. 'Oordeel zelf', zegt hij, wijzend met zijn arm. Door een takkenwand van jonge eik, lijsterbes
en bramen kijken ze in de richting waar Lakis moet liggen. Daar!
De aanblik schokt Akila opnieuw, net als die dag van de val. Lakis
zelf lijkt niet meer dan een steenhoop. De aandacht wordt vooral

getrokken door het hoofdkwartier van de Assyriërs dat ernaast en ervoor ligt: daar heerst flinke bedrijvigheid. Er wordt heen en weer gelopen, een grote veldtent wordt afgebroken. En daar, wat is dat, op de voorgrond? Ze tuurt tussen de takken door. Nu ziet ze het. De gevangenen! Zijn het – ja, ze onderscheidt een rij vrouwen met lange kleden en hoofdsjaals, en daar de mannen in hun korte Judese tunieken. En daar een ossenkar, volgestapeld met bezittingen.

'Ze gaan opbreken', hoort ze Zara zeggen.

Akila kijkt naar Harad, Adalja. Ze wil iets zeggen, maar weet niet wat.

Itai heeft weer vragen te over. 'Gaan ze onze mensen echt afvoeren? Nu al? En waarheen? Ze moeten toch niet helemaal naar Assyrië lopen? Wat gaat er gebeuren? Worden ze daar in de gevangenis gestopt of mogen ze vrij leven?' Het spervuur van vragen wordt ondersteund door gemompel van Zara en Lea. Simi heeft de ogen half gesloten en begint ook te prevelen, Akila vangt een paar woorden op: '... verstoten en vernederd ... onze haters roofden ons leeg ... slachtvee ... onder vreemde volken verstrooid ...'

Ze kijkt naar Adalja – Adalja die zelfs deze ellende kalm gadeslaat. Vreemd genoeg voelt Akila zich ook kalm worden. Alsof ze dit aankan. Ze schuifelt dichter naar Adalja toe en legt een arm om haar middel. Alsof ze wil zeggen: ik raakte ook alles kwijt wat ik kende, maar ik leef toch nog? Ik weet hoe dit voelt, maar heeft de God van Juda mij geen nieuwe hoop gegeven? Ze denkt terug aan Itai's bekentenis een paar nachten daarvoor. *Jij hebt je leven voor mij gewaagd op de muur van Lakis.* Zij, eens een Egyptische balling, een verloren weeskind – nu een sterke Lakisitische die zich inzet voor anderen. Een leven dat zin heeft. Een traan springt in haar ooghoek. Adalja ziet het en glimlacht: beiden weten dat het een traan is van verdriet en hoop tegelijk.

'Vandaag is een dag van beslissingen', zegt Harad als iedereen weer teruggekeerd is in de grot. 'Er zijn twee wegen. En elk van ons zal vandaag één van die twee wegen moeten kiezen.' Akila zit naast Adalja, die Ronen op haar knie wiegt. Zijn babyhuid is donkerder geworden van het buitenleven.

Harad kijkt de kring rond. 'De ene weg leidt terug naar de Assyriërs en onze gevangen broeders en zusters. Met hen leidt die weg ons in ballingschap. De andere weg leidt naar een onbekende toekomst als vluchteling. En daarna, als Elohiem het wil, naar een nieuwe begin als overblijvende in Juda.'

De vluchtelingen hebben er onderling al dagen over gesproken, maar toen waren het voor Akila gedachten en gesprekken over dingen die nog niet bestonden. Nu ziet ze de twee wegen als het ware vlak buiten de grot uiteenlopen. Welke zal zij nemen?

'Mijn keuze is bekend', zegt Simi als eerste. Akila is verrast dat hij zo snel en zo duidelijk antwoord geeft, maar ze kent de redenen. 'Ik ben weduwnaar en ik ben te oud om de reis naar Assyrië te maken. Voor mij is het beter om mijn lot in de handen van Elohiem te leggen dan in die van de Assyriërs.'

Instemmend gemompel. Harad buigt zijn hoofd als blijk van respect. 'Je woord staat vast, Simi. Moge Elohiem je behoeden en zegenen en een vredige oude dag schenken.'

'Ik wil naar huis!' flapt Itai er opeens uit. Zijn gezicht is zo rood als een rijpe bes. 'Ik bedoel, naar m'n familie', herstelt hij. 'Maar ... is er geen manier om toch niet in ballingschap te hoeven?'

'Reken er niet op', antwoordt Harad. 'Maar het is beter met je familie in een vreemd land te zijn dan alleen achter te blijven. Je besluit is verstandig.'

Adalja valt hem bij. 'De ballingschap hoeft geen gevangenschap te zijn, Itai. De Assyriërs geven hun ballingen in Assyrië eigen woningen en land, is het niet, Harad?'

'Naar het schijnt', zegt Harad. 'Naar het schijnt. Voor wie er in ballingschap gaan is er geen reden tot wanhoop.' Terwijl hij de woorden uitspreekt, merkt Akila dat hij een korte, bedroefde blik in haar richting werpt. Waarom? Is er iets wat zij niet weet? Ze voelt het.

Maar Harad richt zich alweer tot de groep. 'Voor sommigen van ons is de weg niet zo gemakkelijk te kiezen als voor Simi en Itai. Laten wij tegen de avond hier samenkomen zodat ieder zijn besluit kenbaar kan maken. En moge Elohiem ons wijsheid schenken.'

Stilte. Omets staat op en stapt naar buiten. Simi staat ook op. Akila voelt paniek opkomen. Ze wil met iemand praten, Adalja, misschien Harad. Waarom keek hij haar zo aan? Wat moet ze doen? Een beslissing nemen over haar eigen toekomst? Daar beslissen toch altijd anderen over? Barak, Noa ... maar wat als die er niet meer zijn?

'Help me even om Ronen te wassen', zegt Adalja. Ze is met de kleine opgestaan. Ze lopen naar de achterkant van de heuvel. Omets heeft alweer ergens een konijn vandaan gehaald en is het aan het ontvellen; met een paar handige bewegingen is de pels eraf en liggen de glanzende spiervezels van het diertje in het zonlicht. Akila pakt een van de kleinere waterzakken terwijl Adalja haar zoontje uit de doeken doet. Hij grinnikt en trappelt, blij om zich vrij te kunnen bewegen. Akila kijkt op het spartelende, hulpeloze ventje neer. Hij hoeft nergens over na te denken: voor hem wordt alles bepaald.

'Kan ik jullie even spreken?' Harad staat achter hen. Hij schraapt zijn keel. Akila voelt dat het om haar gaat. Dus toch.

'Spreek', zegt Adalja, terwijl ze Akila aan de arm trekt om een paar druppels water in haar hand te laten lopen. Ze begint Ronen ermee te wrijven. Hij giert van plezier.

'Akila,' zegt Harad, 'ik weet niet hoe ik je dit moet zeggen.'

'Vertel me maar gewoon wat ik moet doen', zegt ze kort. 'Teruggaan of hier blijven?'

'Daar gaat 't niet over', zegt hij, een beetje verbaasd. 'Nou ja, niet alleen maar.'

Akila bloost. Ze snapt er nu niets meer van.

'Het gaat over je ouders, Noa en Barak. Is het niet, Harad?' Adalja gebaart Akila om meer water.

'Klopt.'

Akila ziet Barak ineens voor zich staan, het verweerde gezicht, de schouders. En Noa ... Zal ze hen terugzien of niet?

'Barak was in deze oorlog opperbevelhebber van het garnizoen van Lakis', zegt Harad. Hij zoekt de juiste woorden. 'Akila, hij was een belangrijk man. Ook in de ogen van de Assyriërs.'

Nu voelt ze een schaduw over zich heen vallen. En over Barak, de man die haar moed insprak.

'Ze zullen hem niet behandelen zoals alle andere Lakisieten.'

Akila hoort een naar knakkend geluid en kijkt opzij: Omets rijgt het schone konijnenlijfje aan een spies.

'Akila,' vervolgt Harad, 'ik heb dit nog aan niemand verteld, maar ik heb gezien dat Barak niet meer leeft. Vannacht ben ik tot vlak bij het kamp geslopen. Ze hebben hem ten voorbeeld gesteld voor alle inwoners van Lakis: ik heb zijn lichaam aan een paal aan de rand van het kamp zien hangen. Hij was voor hen een te groot strijder om in leven te laten. Het spijt me. Maar hij is eervol gestorven.'

In Akila's hoofd is het volkomen stil. Zo stil en leeg als de hoge hemelkoepel boven haar. Alsof hij ver weg is hoort ze Harad verder praten. 'Dat is niet alles. Als Noa bij hem wilde blijven zoals Zara ons heeft gezegd, is het vrijwel zeker dat ook zij ter dood veroordeeld is, of wordt. Zo is het lot van een groot leider en zijn vrouw.'

Stilte. Leegte. Akila's ogen kijken in het niets. Barak. Hij die zijn leven inzette voor de vrijheid van anderen. Haar vader. Niet meer. Noa, de vrouw die sterk werd. Sterk als de dood. Umajma.

Ze legt de waterzak naast de baby op de grond, richt zich op. 'Ik begrijp het', zegt ze en langzaam loopt ze richting woestijnrand.

Itai heeft goed geraden. Harad gaat niet terug, Simi niet, Zara en Lea wel. Omets en zijn moeder en het kleine meisje niet – Omets' vader leeft niet meer, dus er is geen reden voor hen zich bij de ballingen aan te sluiten. Bovendien, denkt Itai terwijl hij de gespierde armen van Omets bekijkt en het mes in zijn gordel: die heeft geen stad nodig om in te leven, hij is een jongen van het veld.

Nu is Adalja aan de beurt om te spreken. Itai kijkt haar verwachtingsvol aan. Hij ziet dat Akila gespannen is, heel gespannen. Wat is er toch met haar? Ze schuifelt heen en weer op de steen waarop ze zit, bijt op een knokkel, reageert niet eens als Ronen aan haar kleed trekt.

'Voor mij is het duidelijk', zegt Adalja. 'Liever trouw blijven aan mijn man en in ballingschap gaan dan een vrij bestaan leiden in Juda zonder ooit te weten wat er met hem gebeurd is.'

Alweer goed geraden, denkt Itai! En gelukkig ook: Adalja gaat mee, Akila zal dan ook wel meegaan. Nu maar hopen en bidden dat Uzi nog levend en wel is, en Barak!

'En Akila,' vervolgt Adalja terwijl ze naar het meisje kijkt, 'ik hoop dat jij met me meegaat, als je het teminste wilt. Een zusje als jij zou mij meer dan welkom zijn bij alles wat ons te wachten staat.'

Akila barst in snikken uit en vliegt Adalja om de hals zodat die bijna van haar steen valt met Ronen erbij.

'Oh, Adalja!' Ze kust de vrouw door tranen heen op het gezicht. 'Mag ik het dan zelf beslissen?'

'Natuurlijk mag je het zelf beslissen', lacht Adalja. 'Elohiem heeft jou je leven geschonken, niet ik of een ander.'

'Oh, Adalja,' zegt Akila, 'natuurlijk wil ik met jou mee als het mag. En met Ronen!' Ze pakt de kleine jongen om zijn middel en tilt hem boven haar hoofd om een dansje te maken. 'We gaan samen naar huis!' zegt ze. 'We gaan samen naar huis!' En terwijl het jongetje met een mengeling van verbazing en plezier op haar neerkijkt, verwondert Itai zich erover dat alle gebeurtenissen en teleurstellingen van de afgelopen weken dit Egyptische weesmeisje ertoe hebben gebracht om zoiets te kunnen zeggen. *We gaan naar huis.*

Als de bijeenkomst beëindigd is, wordt het kamp van de vluchtelingen een en al bedrijvigheid. Er wordt water gehaald, er worden repen vlees gesneden. Na dagen van afwachten krijgt ook Itai weer een gevoel van opwinding en avontuur. Harad heeft gezegd dat de terugkerende Lakisieten afzonderlijk van elkaar en via verschillende routes terug moeten: Itai vanuit het zuiden, later Adalja, Ronen en Akila via een boog over het oosten en een dag later Zara en Lea vanuit een andere richting. 'Als jullie allemaal tegelijk in een rechte lijn terug gaan, hebben ze door dat hier een heel nest vluchtelingen zit en komen ze ons halen', zegt Harad.

Nog diezelfde avond zal Harad Itai begeleiden tot hij in de buurt van het kamp is. Daarna moet hij zich alleen gaan overgeven. Harad zelf wil bij de vluchtelingen blijven en later beslissen wat hij doet.

De avond nadert. In het westen trekt het licht snel uit de hemel weg, een diep-blauwe ruimte achterlatend. Het is koeler dan het geweest is. Itai heeft zijn kleed opgerold, met zijn portie eten erin. Nu heeft hij nog één dringende taak te verrichten voor het vertrek. Hij pakt van achter een struikje naast de grotopening een vuistdikke vuursteen die hij daar heeft neergelegd en loopt de grot in. Er is niemand, de anderen zijn buiten bezig. Hij loopt naar de zijkant van de grot achterin en gaat zitten. Daar. Met een vlakke hand veegt hij stof en steenkruimels weg totdat er een glad stuk grotwand voor hem staat, zo breed en zo hoog als een wagenwiel. De letters die Adalja er de vorige dag op zijn aandringen heeft ingekrast zijn duidelijk zichtbaar. Hij kan ze niet lezen, maar weet wat er staat; Adalja en hij hebben de woorden samen gekozen uit een oud lied. Hij blaast nog wat stof weg. Dan pakt hij de vuursteen in zijn vuist, met de punt naar voren zoals Adalja gedaan heeft, en begint zorgvuldig de tekens nog wat uit te slijpen: 'Almachtige verlos ons – Elohiem heerst over de aarde – de bergen van Juda behoren Hem toe, de God van Jeruzalem – *Almachtige de berg Moria hebt U als uw woonplaats gekozen*'. Met het puntje van zijn tong tussen zijn lippen trekt hij de tekens na. Lijntje voor lijntje. Als hij ze allemaal nog wat dieper in het kalkzandsteen gekerfd heeft, schuifelt hij een stukje achteruit en kijkt er tevreden naar. Dat moet goed zijn. De woorden zullen nu voor altijd leesbaar zijn. Ieder die hier voorbijkomt zal weten dat niet Lamasjtoe of een andere afgod over Juda heerst, maar Elohiem en niemand anders. Hij legt zijn schrijfgerei onderaan de grotwand en loopt naar buiten. Hij is klaar voor de reis naar het Assyrische kamp.

HOOFDSTUK 14

De wegen gaan uiteen

'Tel je passen vanaf nu.' Itai's spieren spannen zich allemaal tegelijk. Harad heeft hem plotseling bij de onderarm gegrepen.

'Tel je passen vanaf nu', fluistert hij hem nog een keer toe. 'Nog vóór wij tienmaal tien passen verder zijn, word jij verrast. Bereid je erop voor.'

'Hoe bedoel je? Wat?' fluistert Itai dringend.

'Tellen!' sist Harad en legt zijn andere hand over Itai's mond.

Ze lopen samen door de nacht. De grot en de anderen hebben ze achter zich gelaten. Itai begint te tellen. Twee, drie, vier, vijf. Wat kan er zijn? Krijgen ze iets te zien, een dier misschien? Een bergleeuw? Of zijn ze al dicht bij het Assyrische kamp? Negen, tien. Bij tien steekt hij een duim naar voren en begint opnieuw. Bij de volgende tien een wijsvinger. Nog achtmaal tot tien tellen. Wat bedoelt Harad toch? Zeven, acht, negen, tien. De vingers van zijn rechterhand staan al recht, hij strekt de duim van de linker. Intussen tuurt hij met toegeknepen ogen in de rondte. Is er iets te zien? Zijn ogen zijn goed gewend geraakt aan de duisternis de afgelopen weken, maar het lijkt wel donkerder dan eerst. Er valt hem niks op. De glooiende lijnen van de Sjefela, een groepje bomen – pijnbomen aan de breed uitlopende kruinen te zien. Verder niks dan duisternis. De grond stijgt iets onder zijn voeten, een verhoginkje, misschien beter zicht? Helemaal niks.

'Binnen twintig passen', fluistert Harad geluidloos.

Twintig passen? Hoe kan dat? Itai kan wel dertig passen om zich heen zien en er valt niks te bespeuren.

'Zo, en hoe was 't, ouwe jongen?' zegt Harad opeens met een doodnormale stem.

'Oh, beter dan gisteren.'

En ineens staat Omets naast hen. Volkomen geluidloos is hij uit de nacht gestapt! Zijn zware boog ligt losjes in zijn rechterhand en over zijn schouder hangt een dier, wat is het – een jong hertje of zo. Itai kan het niet geloven. Omets! 'Waar kom jij ineens vandaan? Hoe heb je dat klaargespeeld?'

'Niet te hard praten, Itai', zegt Harad. 'Het geluid reist ver.'

Omets haalt de schouders op alsof het niks is. 'Ik loop al bij jullie sinds jullie onder de acaciabomen vandaan komen', zegt hij. Hij wipt een schouder op om zijn jachtbuit te verplaatsen.

'Maar hoe kan dat?' vraagt Itai weer. Hij heeft Omets sinds die middag niet meer gezien.

'Je hebt je laten verrassen, jongen', zegt Harad grinnikend. 'Maar ik moet zeggen dat je minder schrok dan ik had gedacht.'

Itai moet ook lachen. 'Ik werd de laatste tijd wel vaker verrast', zegt hij. 'Ik begin eraan te wennen.'

'Hoezo?'

'Ach.' Itai's gedachten dwalen even af.

'Nou? Vertel dan, wanneer werd je nog meer verrast?'

'Ach,' Itai haalt zijn schouders op, 'eigenlijk is de laatste tijd álles anders gegaan dan ik verwachtte.'

'Je bedoelt de oorlog?'

'Alles. Ik dacht dat ik wist hoe de dingen zouden gaan. Maar alles is anders uitgevallen. Ik weet nu dat je altijd verrast kunt worden.'

'Hmmm. Da's belangrijke kennis voor een krijger, jongen.'

'Misschien wel', zegt Itai. 'Ik weet nu dat je je niet altijd kunt voorbereiden op wát er gaat gebeuren, maar wel op het feit dát er iets gaat gebeuren.'

'Bij de scepter van Salomo,' zegt Harad en hij geeft Omets een por met zijn elleboog, 'deze jongen heeft gedachten als vers geslepen pijlen.'

Itai kijkt om zich heen. De nacht is stil en koel en diep. De nieuwe maan is nauwelijks een pinknagel breed en in de donkerte staan de sterren als een menigte met fakkels aan de hemel. Zijn voeten en sandalen zijn nat van de eerste dauw die het einde van de zomer aankondigt. Harad houdt het tempo er flink in. Een eind verderop zullen ze afscheid nemen. Het laatste stuk moet Itai alleen lopen. Hij ziet er niet tegenop. Hoe het zal gaan, weet hij niet. Maar één ding weet hij wel: de Ene is er altijd bij.

Dat hij diezelfde nacht nog zijn familie zal zien, is vrijwel zeker. Harad heeft hem gezegd om in de buurt van het kamp veel geluid te gaan maken. Hoesten, op droge takken stappen, met de voeten over stenen slepen. Dan horen de wachters hem van een afstand naderen en overvalt hij hen niet. Als hij hen op zich af ziet komen moet hij roepen en zijn handen in de lucht steken.

Trouwens, zo geruisloos als Omets zou Itai nooit kunnen zijn. Hoe deed die jongen dat toch? Itai wil het hem vragen. En op hetzelfde moment krijgt hij zijn volgende verrassing: Omets is weg.

Harad legt een hand op Itai's schouder en plaatst zijn mond vlakbij Itai's oor. 'Zo is de jager van de Sjefela', fluistert hij geheimzinnig. 'Zo is de leeuw van Juda! Nu zie je hem, dan weer niet. Maar altijd is hij in de buurt. Hij is de leeuw die geruisloos toeslaat. Hij is de arend die moeiteloos zweeft. Hij is de nachtuil die waakt als alle anderen slapen!' Harad legt een hand op Itai's schouder. 'En nu helemaal stil. We komen dadelijk te dichtbij om nog te praten.'

Itai glimlacht in het donker. De leeuw van Juda? Onzichtbaar en toch altijd in de buurt? Dat kan alleen de Ene zijn.

Ze nemen afscheid en Harad verdwijnt in de nacht, net als Omets. Itai wacht een poosje. Dan begint hij zoals afgesproken luidruchtig richting Assyrische wachtpost te lopen. De Assyrische wachters hebben hem snel door. Twee soldatengedaanten komen in de duisternis op hem af benen en blijven voor hem staan.

'Jehoeda? Lakis?' vraagt een van de twee.

Itai knikt. Zijn hart klopt in zijn keel. Harad heeft gezegd dat er niks zal gebeuren bij zijn overgave, maar zijn fantasie is toch een beetje op hol geslagen: in zijn verbeelding ziet hij zichzelf al voor koning Sanherib geleid worden als een belangrijke gevangene! Maar Harad heeft gelijk. De soldaten vertonen geen enkel teken van verbazing: blijkbaar is hij niet de eerste die zich komt overgeven.

De soldaat zegt iets tegen zijn kameraad, blaft iets onverstaanbaars tegen Itai en neemt hem bij de arm. Mee naar het kamp. Veel van de Assyrische tenten zijn al afgebroken; een paar staan er nog. Hier en daar branden kampvuren. Er zitten soldaten omheen die blijkbaar geen dienst hebben: ze praten, lachen, drinken uit bekers. Nog steeds bonkt Itai's hart, niet van angst maar van spanning over het weerzien met zijn familie.

Een eind verderop, in de richting van de Nachal Lakis, staat een wijde ring van wachters, bijna zo groot als het Assyrische kamp eerst was. Achter hen de omtrekken van de verwoeste stad. Ze lopen richting de wachtersring. De soldaat zegt niks. Met grote passen trekt hij Itai mee, maar hij is niet ruw. Bij de wachters aangekomen ziet Itai dat de Lakisieten zich binnen de ring bevinden: overal groepjes mannen en vrouwen, kinderen. Hij ziet de donkere omtrekken van wagens, spullen, een os. Een geit mekkert. Een vuurtje flakkert. Het is een vreemde aanblik. Alsof de stad van de berg getild en in het dal binnenstebuiten gekieperd is.

De soldaat gebaart naar een van de wachters. Ze wisselen een paar woorden. De soldaat laat hem los en de wachter neemt hem bij de schouder en loodst hem de ring in. Hij zegt iets, laat Itai los, maakt een wegwuivend gebaar en neemt zijn plaats in de ring weer in. Itai begrijpt eruit dat hij zich maar moet redden tussen de gevangenen.

Zonder er bij na te denken loopt hij naar voren, speurend tussen de schaduwen en gedaanten. Hij versnelt zijn pas, zijn hartslag versnelt, het is alsof een onzichtbaar koord steeds harder aan hem trekt.

'Sjalom', zegt de stem van een man waar hij vlak langs loopt. De man zit op een houten kist met een kind op schoot, zijn gezicht rood van de vuurgloed. Itai loopt door. Hier zijn ze niet. Het onzichtbare koord trekt, trekt, trekt. Daar? Nee. Daar dan: een korte vrouw met hoofddoek en een klein kind! Hij houdt zijn adem in. Nee. Verder. Hij loopt door het kamp zoals de vleermuis fladdert: rusteloos, zonder vaste richting, nu snel, dan stilstaand, dan weer voort, het hoofd vol van de beelden, woorden, geluiden die er dadelijk zullen zijn. De gezichten. Abba, ima, El-Natan. Uzi – Elohiem geve dat hij er is! En Barak ... Hij schrikt van de naam. Harad heeft hem vanavond verteld wat hij Akila heeft verteld. Het is teveel om over na te denken. Doden en overlevenden naast elkaar. Thuiskomst en ballingschap. Terug bij vader en moeder en El-Natan, voor altijd weg uit Lakis en de Sjefela en Juda, het land van zijn God en zijn volk.

Bij een klein vuur aan de rand van het kamp ziet Itai drie volwassenen zitten: twee mannen, een vrouw. Op de achtergrond Assyrische wachters. De vrouw zit op de grond met een kind op schoot. De mannen zitten in schaduwen gehuld met de ruggen tegen een karrenwiel. Op twee grote voorraadpotten. Die voorraadpotten kent hij!

Het is halverwege de derde wake. Akila is wakker geworden en heeft zich bij Harad en Omets gevoegd rond een klein vuur achter de grot. Omets heeft weer vlees op het vuur, een paar grote stukken. Akila kijkt om zich heen. De sterren worden bleker, maar ochtendlicht is er nog niet. Rondom hen hangt een dunne nevel. Hoe noemen ze deze maand ook weer in Juda: *Ab, Eloel, Tisjri ... Marchesjwan*, dat is 't. De maand waarin de zon milder wordt en de vroege regens de aarde zacht maken voor de winter-gewassen. Ze kijkt naar Omets: zou die ook zaaien, of alleen maar jagen?

In de grot hoort Akila gestommel. Voetstappen op de stenige grond. Het is Adalja. Kan zeker ook niet slapen. Geen wonder. Bij dageraad is het hun beurt om de reis naar het gevangenenkamp te aanvaarden. Gelukkig hebben Omets en Harad hen verzekerd dat Itai's overgave rustig verlopen is: ze hebben het van een afstand gadegeslagen. Straks zij. Akila slikt. Wie zullen ze aantreffen? Aan Barak en Noa durft ze niet meer te denken. Niet nu. Wat een geluk dat ze met Adalja mee kan. Adalja en zij, zusters.

'Sjalom', zegt Adalja slaperig.

'Sjalom. Je bent al klaar om te gaan, zie ik', zegt Harad.

Adalja zwijgt en gaat bij het vuur zitten.

'Is er iets?' vraagt Harad. Akila voelt het ook.

De jonge vrouw drukt haar armen tegen zich aan.

'Ik heb een vreemde nacht gehad', zegt ze. Met een peinzende blik kijkt ze in het vuur, alsof ze daar de oplossing van een raadsel zoekt.

De anderen zwijgen. Wat zal dit te betekenen hebben?

'Ik wil graag overleg', zegt Adalja onverwachts.

Harad knikt. Omets stookt het vuur wat op. Akila reikt hem een tak aan, ze wisselen een stille blik.

Vanuit de grot horen ze opnieuw gestommel. Omets gaat kijken, komt terug. 'Het is de oude Janai uit Maresa, hij komt er ook uit.'

'Laat iedereen maar komen. Wek ze maar', zegt Harad. 'Als we gaan beraadslagen, laten we het dan allemaal doen.' En tegen Adalja: 'Salomo de wijze zegt dat je met veel goede raadgevers de overwinning kunt behalen.'

Adalja knikt. Ze wachten.

'Zal ik Ronen halen?' zegt Akila.

Terwijl ze Omets achternaloopt naar de grot komt de oude Janai op haar toe. Hij begroet haar met krakerige stem. Ze kijkt achterom als hij naar het vuur toe stapt en zijn stramme lijf in de kring laat zakken.

Even later is de groep compleet. Omets draagt het kleine meisje uit Maresa, Lira. Ze slaapt nog, een duim in de mond, de lokken over het gezicht. Akila gaat met Ronen op schoot naast Adalja zitten.

'Adalja wil met ons beraadslagen', zegt Harad. En tegen Adalja: 'Vertel ons waarom je ons zo vroeg laat opstaan, bij de steen van Jakob!'

'Het zit zo', begint Adalja. Ze spreekt plechtig, ernstig. 'Zoals jullie weten, was ik vastbesloten om vandaag met Akila terug te keren naar het kamp en, als Elohiem het wil, weer bij mijn man Uzi te zijn – of te vernemen wat er van hem geworden is.'

Akila knijpt haar handen samen. Het is ondenkbaar dat Uzi en Adalja níet herenigd worden. Maar na het bericht over Barak en Noa lijkt alles mogelijk.

'Terugkeren naar het kamp leek mij de beste weg,' vervolgt Adalja, 'maar in deze nacht heeft een andere gedachte mijn geest verlicht. De oude gedachte is verdwenen.'

In de verte koert een eenzame duif – roekoekoe! – op zoek naar gezelschap voor de komende dag.

Het gezelschap rond het vuur luistert zwijgend.

'Hoe moet ik het zeggen?' Een verontschuldigende glimlach verschijnt om Adalja's mond. 'Ik weet dat ik verwarring schep.' Ze kijkt naar Akila. 'Maar ... het is alsof ik in deze nacht ons allemaal in Jeruzalem zag staan.'

In Jeruzalem? Akila kijkt vragend naar Harad – maar hij begrijpt er zo te zien net zo weinig van als zij. De oude Janai heeft de ogen gesloten maar knikt zachtjes. Dommelt hij of voelt hij Adalja aan? Het lijkt wel of zijn vrouw ook zacht knikt.

'Ik weet niet of mijn woorden genoeg zijn om mijn gedachten aan jullie duidelijk te maken. Maar het is zoals ik het zeg. In mijn gedachten valt het licht maar op één weg: de weg naar Jeruzalem.

Alle andere wegen zijn in de schaduwen van deze nacht verdwenen. Ook de weg terug naar het Assyrische kamp.'

'En Uzi dan?' vraagt Harad.

Adalja zucht, kijkt in het vuur, glimlacht. 'Zal Elohiem ons niet leiden? Ook Uzi en de andere kinderen van zijn volk? *De bergen van Juda behoren Hem toe. De berg Moria heeft Hij als zijn woonplaats gekozen.*'

Omets legt hout op het vuur, draait het spit om met het vlees eraan.

'Je spreekt in raadselen, zuster', zegt Harad.

'Ik geloof dat Elohiem mij vraagt om niet naar Uzi te gaan, maar te wachten tot Hij Uzi bij mij brengt.'

Op het gelaat van Janai, waar het oplaaiende vuur diepe groeven tekent, verschijnt een glimlach, alsof de oude man een geheim deelt met Adalja. Een gevoel van opwinding welt in Akila op. Jeruzalem? Niet het gevangenenkamp?

Harad kijkt in de vlammen. In de verte koert de duif weer en een tweede beantwoordt de roep. In het bos roeren zich nu ook andere vogels. Dan is het weer even stil – geen geluid dan de piepende ademhaling van Janai en het sisselen en spatten van het vuur. Wie gaat er iets zeggen? Wat wordt er besloten? Als ze naar het Assyrische kamp willen, moeten ze snel vertrekken.

Harad staat op. Akila ziet in zijn ogen dat er ook in zijn binnenste licht is gaan schijnen. 'Adalja,' zegt hij, 'ik geloof dat je gelijk hebt. Ik sta helemaal achter je!'

'Vertel ons wat jij denkt', zegt Adalja, omhoogkijkend.

Harad spreekt snel. 'Als Uzi alles overleeft – moge Elohiem hem bijstaan – dan weet ik zeker dat hij zich onder geen enkel beding als gevangene zal laten wegvoeren zolang er een kans is dat jij en Ronen nog vrij zijn', zegt hij. 'Als hij is omgekomen – Elohiem verhoede het – heeft teruggaan voor jou geen zin. Als hij níet is omgekomen, zal hij jou zoeken, al is dat het laatste dat hij doet! Je hebt helemaal gelijk, Adalja. Natuurlijk moet je Uzi niet achterna in gevangenschap! Hij houdt zo innig veel van jou; hij zal met heel Assyrië op de vuist gaan om jou in vrijheid achterna te komen!'

Gegrinnik rond het vuur. Op Adalja's wangen verschijnt een blosje, ze houdt haar wimpers neergeslagen. 'Het is zoals je zegt. Bovendien heb ik Uzi beloofd mij nooit aan de Assyriërs over te geven. Of het wijsheid is of niet zal de tijd leren. Maar ik moet trouw blijven aan mijn woord.'

Harad gaat staan. Hij steekt de handen in de zij. 'Dus Adalja en Ronen gaan niet terug.' Hij kijkt de stille kring rond. 'Zara, voor jou is het anders, jouw hele gezin is gevangen. Als je naar het kamp wilt, begeleid ik je erheen, zoals afgesproken.'

Zara knikt. 'Dat is waar ik moet zijn.'

'En Lea?' Iedereen kijkt naar Lea, ze is weduwe en heeft geen kinderen.

'De weg neemt een wending die ik niet heb voorzien', zegt ze. 'Ik begrijp Adalja's besluit maar ik zal Zara vergezellen naar Lakis.' Ze legt een hand op de knie van Zara naast haar. 'Ik ben dan alleen, maar onder de ballingen kan ik misschien een troost en een hulp zijn.'

Harad knikt. 'Is er iemand die iets wil toevoegen of zijn onze wegen bepaald?' Omets knikt. Janai opent de ogen en knikt nog nadrukkelijker dan daarvoor. Hij opent zijn mond, spreekt al knikkend. 'De profeet heeft gezegd dat Jeruzalem gespaard zal blijven. Het is goed als wij die niemand onder de ballingen hebben onze voeten in vertrouwen daarheen richten.'

Harad kijkt nu naar Akila, die het niet kan laten om ook heel heftig mee te knikken. Hoe het kan begrijpt ze niet, maar haar hart stroomt vol met hoop en blijdschap: hoop voor Adalja en Ronen en voor Uzi, voor Harad en Janai, voor Omets en zijn moeder, de andere vluchtelingen – voor heel het land en heel de aarde en de hemel die Elohiem tot zijn woonplaats heeft gemaakt. Zelfs voor haar eigen toekomst. Ze opent haar mond. 'Ik denk ... dat Adalja gelijk heeft.' Ze gaat staan en zegt met volle overtuiging: 'Ik volg je, Adalja!'

En terwijl Adalja en zij elkaar in het prille licht van de nieuwe dag in de armen sluiten, hoort ze Harad zeggen: 'Dan staat ons besluit vast. Zara en Lea terug. De rest houdt zich voorlopig hier op en reist zodra het kan richting Jeruzalem.'

HOOFDSTUK 15

Een lange reis begint

'Trek dat kleed er anders tussenuit en probeer het vat er nog tussen te zetten, het kleed kan straks wel over de andere spullen heen.' Itai staat bovenop de afgeladen ossenkar van zijn vader. Hij trekt voorzichtig een opgerold kleed tussen een houten gereedschapskist en een pot vandaan en gooit het op het gras naast zijn vader. Die reikt hem een aarden vat aan gevuld met boekrollen. Ja, het past. Nu is bijna alles ingeladen. Ze hebben geluk dat ze een kar hebben. Trouwens, op de kar van Jatsar liggen ook flink wat spullen van Lakisieten die er geen hebben.

Itai legt een hand op de rand van de kar en wipt eroverheen op de grond. Zijn vader trekt hem tegen zich aan. 'Je hebt hard gewerkt, jongen. Elohiem zij geprezen dat jij er bent.' Hij wendt het hoofd opzij en roept: 'Ima! We zijn klaar voor de reis!'

Itai kijkt trots naar zijn moeder die verderop op de grond bezig is El-Natan te voeden. El-Natan kijkt terug. Hij veert met zijn rugje en zwaait een armpje op en neer. Itai lacht. 'Hij is weer vol leven', zegt hij tegen zijn vader. 'Elohiem heeft hem genezen.'

Itai kan nog steeds nauwelijks geloven dat hij weer terug is bij zijn familie. Telkens weer zoekt hij in de drukte van het kamp naar zijn vaders bebaarde gezicht, zijn moeders hoofddoek, El-Natan die zo gegroeid is. Op sommige momenten voelt het alsof het allemaal een droom is geweest. Maar alles wat hij om zich heen ziet en hoort, bewijst het tegendeel: de gevallen stad en de zwarte vogels die er omheen zwermen, de bevelen van Assyrische soldaten, de Lakisieten die niet hun gewone bezigheden uitvoeren maar spul-

len op wagens laden, andere spullen terzijde leggen, zich verman-
nen voor de grote reis.

Als de zon bijna halverwege de hemel is, neemt de bedrijvigheid
in het gevangenkamp af. Maar de spanning neemt toe. De
meeste inwoners van Lakis zijn klaar. Verderop in het soldaten-
kamp beginnen de Assyriërs zich ook te groeperen. Het zware
wapentuig is ontmanteld en op wagens geladen. Assyrische bedienden – tewerkgestelde ballingen uit allerlei landen – hebben de
karren volgeladen en het vee verzameld. Paarden snuiven onrustig. Soldaten roepen naar elkaar. Een eind verderop in noordwestelijke richting, op de weg die naar de kustvlakte leidt, heeft zich in
een wolk van stof al een stoet geformeerd. Itai kan het niet goed
zien, maar hij vermoedt dat daar de Assyrische koning is met zijn
gevolg. Als er een kans is, zal hij tijdens de reis nog zeker naar
voren rennen om de koninklijke wagen – en misschien de koning
zelf – van dichterbij te bekijken. De heerser over Assyrië. En over
Juda? Nee, dat is alleen de Ene.

'Aansluiten!' Eén van de mannen die Itai wel eens in het gouverneurspaleis van Lakis heeft gezien roept de Lakisieten toe. Mensen
staan op van de grond. Ossen wenden traag hun koppen. Karren
komen in beweging. De Assyrische wachters vormen twee lange
rijen die zich uitstrekken in de richting waarin de koning is
gegaan. Aan de westelijke rand van het kamp vormt zich al een
kopgroep. Itai klimt op hun wagen om te kijken. 'Abba! De eerste
kar rijdt al de weg op! Zullen we gaan?' De sfeer van verslagenheid
die over het gevangenkamp hangt, maakt plaats voor opwinding. Itai voelt het ook. Ze gaan op reis. Avontuur. En ditmaal niet
alleen, maar met abba, ima, El-Natan en vele andere bekenden.
Hij springt weer van de kar af. 'Ik ren naar voren om te kijken!'

'Hier,' zegt zijn moeder, 'eet alsjeblieft eerst iets, jongen. Je bent zo
mager als een vleermuis geworden. Dadelijk stort je neer.' Ze reikt
hem een dikke vijg aan en schudt haar hoofd terwijl ze naar zijn
gestalte kijkt.

Maar Itai is veel te opgewonden om te eten. 'Straks!' roept hij en begint weg te rennen.

'Ach en wee, ach en wee ...' zegt Sjamira. En terwijl ze de vijg dan maar in haar eigen mond stopt, roept ze hem na, 'Niet te ver weggaan!'

'Nee, ima!' Itai kijkt om en heft een arm in de lucht. 'Ik zal geen gekke dingen doen! Dadelijk kom ik terug om onze ossen de weg op te leiden. Je kunt op me rekenen!'

'Oi, oi', verzucht ze hoofdschuddend, het vijgensap van haar kin afvegend. Ze blijft haar zoon nakijken en gaat op haar tenen staan om hem zo lang mogelijk te zien tussen de menigte. 'Oi, oi, oi, mijn zoon! Telkens als ik je even niet zie, krimpt mijn hart ineen.'

Langzaam verandert het opgebroken kamp in een lange karavaan die hortend en stotend in beweging komt. Aan de achterkant waaiert hij nog breed uit, maar naar voren wordt de stoet steeds smaller, totdat hij keurig binnen de bermen van de weg naar het noordwesten begint te kabbelen. Itai's vader is hem achterna gekomen en samen staan ze te kijken. 'Het is als een beek die naar de zee stroomt en van daar niet zal terugkeren', zegt abba. 'Een rivier van mensen.'

'Met aan het hoofd de koning van Assyrië', zegt Itai een beetje bitter.

'Ach, het is een rivier waarin ook hij maar een druppel is zoals alle anderen, jongen', zegt Jatsar.

'Ja, een rivier die alleen Elohiem echt naar zijn hand kan zetten.'

'Een rivier die alleen Elohiem naar zijn hand kan zetten.'

Pas in de middag is het hun beurt om aan te sluiten bij de karavaan. Hossend en kriekend rolt de kar over de grindweg het dal uit. Itai zit achterop, zijn vader loopt ervoor met de ossen, en ima en El-Natan zitten op de bok. Nu de hele stoet in beweging is, wordt er niet meer gepraat. De lucht is gevuld met het knarsen van houten wielen in het grind, het kraken van karren, het geroffel van tientallen, honderden hoeven en voeten in de lange, lange kara-vaan. Een Assyrisch paard hinnikt. De stoet beweegt zich voort in een grote stofwolk en Itai wappert zijn hand voor zijn gezicht heen en weer om geen stof in ogen en mond te krijgen. Vogels roepen de stoet brutaal na: pas die middag is het hem opgevallen dat het enorme zwermen raven zijn, die boven Lakis hangen. Door een opening tussen twee opdwarrelende stofkolommen ziet Itai hen in de verte. Krauwend en vechtend doorzoeken ze de puinhopen van de kleiner wordende stad. Daarboven cirkelen aasgieren, groot en lelijk en afschuwwekkend.

De stroom gaat voort. Soldaten, ballingen, dieren. Sommige mensen rijden op ossenkarren of op ezels, andere gaan te voet met handkarretjes, treksleden of grote bundels op de rug. Een ezel balkt. Van schrik schiet een stel jonge geiten mekkerend de berm in. Een Assyrische ruiter snijdt hen de pas af en dwingt hen terug in de karavaan waar ze blatend hun soortgenoten weer opzoeken.

Itai springt van de kar en rent naar voren om naast zijn vader en de ossen te lopen. 'Goed werk, trouwe ossen', zegt hij en geeft een van de twee dieren een klap op de flank zodat het stof er vanaf slaat. 'Dankzij jullie hoeven we niet zonder bezittingen naar Assyrië.'

Hij valt in de pas naast zijn vader en de trekdieren, de knerpende wielen van de kar voor hen. Zijn blik valt op iets dat naast de weg ligt: ongeveer het enige voorwerp dat niet meestroomt naar het noorden. Het is de stronk van een boom, niet omgekapt, maar met wortel en al uit de grond gerukt en onder aan de stam afgehou-wen. De wortels hangen roerloos in de lucht, terwijl heel Lakis en Assyrië voorbijtrekken. 'Sanherib heeft veel verwoesting aange-richt', zegt zijn vader en legt een hand op zijn schouder. 'We mogen bedroefd zijn. Maar uit de omgehouwen stronk zal Elohiem nieu-we scheuten doen oprijzen. In onze ontworteling zal Hij ons nieuw leven geven, nieuwe kansen. Onze stad is gevallen, onze plannen zijn verijdeld. Maar in zíjn plannen ligt onze toekomst.

Wat bij ons een einde is, is bij Hem een begin.'

Itai wendt zijn gezicht naar zijn vader en glimlacht. 'Ik weet het, abba. Ik weet dat het plan van de Ene groter is dan die omgevallen boom, dan deze verdrietige dag. Hij is groter dan Juda. Hij is zelfs groter dan Assyrië en alle Assyrische goden. Hij is de enige die we kunnen vertrouwen, ook als alles verkeerd is gegaan.'

'Goed gesproken!' zegt zijn vader met een bewonderende blik. 'En waar heb je deze wijsheden verworven?'

Itai haalt zijn schouders op. 'Oh, nergens.'

'Oi, oi', mompelt Itai's moeder op de kar achter hem. 'Een jongen heb ik verloren, een man heb ik teruggekregen!'

De kar rammelt voort, de stoet kronkelt zich door het landschap.

'Weet u echt niet wat ze met Uzi gaan doen?' Terwijl hij het zegt, voelt Itai de spanning in zijn buik opkomen die hij voelde toen ze hem vertelden dat Uzi niet bij de gewone ballingen was, maar ook niet bij de ter dood veroordeelden. Zijn vader geeft geen antwoord, maar in zijn baard ziet Itai tot zijn verbazing het begin van een lachje, in zijn ogen een twinkeling. 'Hebt u hem gezien? Iets gehoord?'

'Niks gezien, wel iets gehoord', zegt vader, de twinkeling nog steeds in de ogen. 'Nog maar even geleden.'

'Weet u dan waar hij is?'

Onschuldige blik. 'Nee, ik weet niet waar hij op dit ogenblik is.'

'Abba, schiet op! Wat is er dan? Waarom kijkt u zo?'

Jatsars baard opent zich in een brede glimlach. 'Zal ik je een spannend geheim verklappen?'

'Ja, abba! Nu!'

Vader fluistert: 'Uzi is ertussenuit. Ik heb het net van Tuvija gehoord. Hij is waarschijnlijk ontsnapt. Naar Adalja toe. En Ronen en Akila.'

Een stofwolk wervelt over hen heen en Itai begint te hoesten. Uzi ontsnapt? Hij probeert door het optrekkende stof heen te turen alsof hij in het landschap dat ze achter zich laten Uzi nog zal zien, lopend door het gras, of zwaaiend op de muur van Lakis. Maar als het stofgordijn openwaait, merkt hij dat ze de heuvel al over zijn. Van Lakis en Uzi en heel de Sjefela is niets meer te zien. De lange reis naar Assyrië is begonnen.

In de grot bij de Beek van Kalech heerst opwinding. Omets is teruggekeerd van een jachttocht met een bijzondere buit: twee jongens die beweren dat Jeruzalem vrij is. Akila heeft hun water en wat vruchten te eten gegeven terwijl de rest van de groep zich in de grot verzamelt om hun verhaal te horen. De twee jongens, Aviram en Chai, zijn van ongeveer dezelfde leeftijd als Omets. Akila denkt dat het stadsjongens zijn, ze zien er bleek en moe uit naast Omets. 'Het gebeurde twee dagen geleden', zegt Aviram, de grootste van de twee. 'De Assyriërs lagen rondom de stad en ze waren van plan Jeruzalem in te nemen zoals ze alle andere steden van Juda hebben ingenomen.'
'Alle andere steden?' vraagt Simi.
'Ja,' zegt Aviram, 'alle steden zijn ingenomen en geplunderd. Dat werd ons verteld, en op onze reis deze kant op hebben we het zelf gezien.'
'Ai ...' Simi schudt het hoofd, evenals anderen in de kring.
'We dachten allemaal dat Jeruzalem hetzelfde zou overkomen. Maar koning Hizkia zei ons dat Elohiem een ander plan had. Hij had het van die profeet gehoord.'
'Jesaja?' vraagt iemand.
'Die, ja. Die heeft vier dagen geleden nog gezegd dat Sanherib binnen een dag heen zou gaan zonder één voet in Jeruzalem te zetten of één pijl over de muur te schieten. En zo is het ook gebeurd! De volgende ochtend was de zon nog niet boven de aarde of de Assyriërs waren weg! Zonder dat er een pijl afgeschoten of een steen geworpen is!'
Een vlaag van verbazing gaat door de kring. Akila ziet de oude Jamai weer tevreden het hoofd knikken en denkt: is hij soms ook

een profeet? Ze verwondert zich over deze Jesaja die in zo veel verhalen opduikt.

'Heel de stad is en rep en roer', vervolgt Aviram. 'De Assyriërs lijken echt voorgoed vertrokken.'

'En jullie, wat doen jullie hier, bij de baard van Terach?' wil Harad weten.

'Wij zijn eropuit gestuurd om onze oudere broer te zoeken. Hij verbleef tijdens de oorlog in Achzib en wij vermoeden dat hij aan de Assyriërs ontkomen is en ergens ondergedoken is. Zoals jullie.'

Akila knijpt Adalja in de arm en fluistert: 'Als Jeruzalem echt bevrijd is, heb jij gelijk. Waarom gaan we er niet heen om het met onze eigen ogen te zien?'

Harad heeft haar woorden opgevangen. 'Akila haalt me de woorden uit de mond. Wij weten niet of deze Aviram en zijn jonge vriend de waarheid spreken,' hij werpt een strenge blik in de richting van de twee jongens, 'maar wij gaan uit van hun eerlijkheid. Het moment is aangebroken dat wij onze reis naar het noorden kunnen aanvangen. Dan zullen we het met eigen ogen ontdekken.'

Omets schraapt zijn keel en kijkt Harad aan. Wat wil hij zeggen? Akila heeft gemerkt dat hij in de groep scherp luistert maar weinig spreekt.

'Spreek, Omets.'

'Ik wil er alleen maar op wijzen,' zegt Omets, 'dat wij zelf ook weten dat de Sjefela aan het leeglopen is. Je hebt zelf met mij gezien hoe onze broers en zusters die in ballingschap gaan naar het noordwesten worden weggevoerd en dat de meeste Assyrische troepen en strijdwagens hen vooruit reizen.'

Harad knikt. 'Je hebt gelijk. Het lijkt wel of ze haast hebben om weg te komen en Jeruzalem maar al te graag willen passeren.'

Aviram springt op. 'Daar hebt u het al!' zegt hij. 'Jullie mogen ons echt geloven.'

'Vrede, Aviram. We geloven je graag en ook mijn neus trekt mij in de richting van Jeruzalem. Alleen – wij zijn behoedzame mensen, want de laatste maanden zijn we vaak verrast, bij het zwaard van Sanherib!' Dan spreekt Harad de groep weer toe. 'We blijven buiten de paden en leggen om te beginnen korte afstanden af zodat we de Assyrische achterhoede niet inlopen. We reizen alleen voor zon-op en na zon-onder. Omets, jij gaat vooruit als verkenner. En nu, bij de harp van David, op naar Jeruzalem!'

En zo begint Akila voor de zoveelste keer in korte tijd aan een reis naar het onbekende. Ditmaal is de reis vreemder dan ooit. In de stilte van de avond- en ochtendschemeringen passeren ze het ene uitgebrande stadje na het andere – Maresa, Athar, Jeftach, Libna, Azeka – en de ene verwoeste wijngaard of herdershut na de andere. Maar ook ontmoeten ze gaandeweg steeds weer andere landgenoten. De meesten zijn vluchtelingen zoals zij, maar er zijn ook Judeeërs die alweer begonnen zijn aan de wederopbouw van een nederzetting, het ploegen van een akker, het zaaien van een ternauwernood geredde voorraad wintertarwe. En steevast wordt het nieuws opwindender: Jeruzalem is gespaard gebleven, de Assyriërs zijn vertrokken, Juda is als een vogel uit een strik ontsnapt.

'Ben je niet bezorgd over Uzi?' Akila loopt naast Adalja, een eindje achter de andere reizigers. Het is nacht. Boven de heuvels in het zuidoosten reist de wassende maan met hen mee, de zachte Boelmaan die uit het westen van over de zee lage, zilverachtige wolken landinwaarts lokt. De lucht is fris. De krekels zijn stiller geworden. In de verte hoort Akila het burlen van een hert, een roep van eenzaamheid en verlangen die van diep uit de schepping opborrelt.

'Wie is er niet bezorgd', zegt Adalja na een stilte.

'Het lijkt anders alsof jij het nooit bent.'

'Mijn vader Motsa – moge Elohiem hem behoeden op al zijn wegen – zei altijd: "Een vrouw die geen zorgen heeft, is nog geen vrouw maar een meisje."'

'Dan ben ik allang een vrouw!' flapt Akila eruit.

Adalja lacht. 'Dat is niet het enige wat je een vrouw maakt natuur-lijk.'

'Nee, verder heb je ook een man nodig.' Akila bloost van haar eigen woorden – gelukkig is het donker. Wat zal Adalja denken! Onwillekeurig gaan haar gedachten uit naar Omets, die ergens door de nacht zwerft. Hij is zo vrij als een vogel, maar heeft zich toch vrijwillig verbonden aan deze groep vluchtelingen. Een beschermer. Net als Barak.

'Ja, natuurlijk ben ik bezorgd over Uzi', zegt Adalja.

Akila vermant zich: over Uzi ging het, niet over Omets!

'Zal Ronen zijn vader weerzien, zal ik mijn man terugzien, zullen wij een nieuw bestaan opbouwen? Ik heb meer vragen dan antwoorden, Akila. Maar ook meer zegeningen dan zorgen. Ik heb moed, ik heb hoop. Ik heb een toekomst. Ik heb een kind. En ik heb er een zusje bij gekregen.'

Akila wordt stiller dan de nacht zelf terwijl ze arm in arm naast haar zuster Adalja voortgaat door de onmetelijke duisternis. 'En bovenal,' zegt Adalja, 'heb ik een toren die nooit zal wankelen, al vergaat heel het koninkrijk van Juda.' En dan begint ze het oude lied weer te zingen dat ze op de weg naar Maresa zong op die eer-ste reis die ze samen maakten. *'Een sterke toren is de naam van de Ene ...'*

Akila luistert. Adalja's eenvoudige lied dwarrelt als een klein vuur-vonkje de nacht in, boven de verlatenheid van het veld en de leegte van dit vreemde land van Akila's ballingschap, waar de maan geen god is maar een nachtlamp en de sterrenbeelden geen goden, maar het vingerwerk van de Ene die in de Judese hemelen woont en die zo weinig en toch zo veel van zich laat merken. Zonder haar arm uit die van Adalja los te trekken, versnelt Akila haar pas. Het is koud en ze hebben nog een hele reis voor zich.

Naschrift

De kinderen in dit verhaal hebben niet bestaan. Maar de belangrijkste gebeurtenissen vonden wel echt plaats en sommige van de volwassenen – zoals de koningen Sanherib en Hizkia en de profeet Jesaja – hebben echt geleefd. Lakis was de tweede vestingstad van het landje Juda. Je kunt de ruïnes ervan vandaag nog bezoeken en vanaf de restanten van de stadsmuur over de hele Sjefela-streek uitkijken. De ruïnes liggen naast het dorpje Lachish Moshav, een wijnbouwdorp.

De stad Lakis is in 701 voor Christus door het leger van Sanherib verwoest, met vrijwel alle andere steden van heel Juda: in totaal zo'n 46 steden. Sanherib heeft ook Jeruzalem belegerd, waar de Judese koning Hizkia troonde. Maar voordat hij Jeruzalem schade kon toebrengen is Sanherib weer vertrokken: de hoofdstad ontsnapte op het nippertje aan de verwoesting. De Judeeërs die niet in ballingschap waren gevoerd konden daarna hun steden en dorpen weer opbouwen, al kostte dat jaren werk.

Later is Lakis, met de rest van Juda, opnieuw in puin gelegd door vijanden. Ruim een eeuw na Sanherib's tijd, in 586 voor Christus, stond er een andere heerser aan de poorten van Jeruzalem, de Babylonische koning Nebukadnezar. Ook hij kwam ingrijpen omdat Juda opstandig was geworden en geweigerd had belasting aan hem te betalen. Nebukadnezar spaarde land noch hoofdstad. De verwoesting van Jeruzalem betekende het einde van het koninkrijk Juda. Het Joodse volk ging voor een groot deel in ballingschap naar Babylonië (het huidige Irak). De bedoeling van de Babyloniërs was dat de Joden hun Joods-zijn zouden vergeten en allemaal Babyloniërs zouden worden. Maar dat gebeurde niet. Een kleine groep ballingen bleef trouw aan hun Joodse afkomst. Zij keerden later zelfs terug naar Jeruzalem en omstreken. In hen bleef ook het geloof in Elohiem voortleven – en dat doet het tot op de dag van vandaag.

De steden en de natuur van de Sjefela zijn in dit verhaal zo waarheidsgetrouw mogelijk beschreven, evenals de Judese gewoonten en gebruiken die je erin tegenkomt. Of de Judeeërs in de tijd van Hizkia al Jom Kippoer hielden, de jaarlijkse vastendag die in hoofdstuk 5 wordt geïntroduceerd, is niet zeker; sommige historici denken dat Jom Kippoer pas later een vaste plek kreeg op de Joodse kalender. Dat er in 701 voor Christus iedere nazomer een oogstfeest werd gevierd is vrijwel zeker, al kan het zijn dat het feest toen nog niet bekend stond onder de naam Soekot.

Over de gebeurtenissen die de historische achtergrond vormen van dit verhaal kun je veel in de Bijbel lezen. Twee bijbelgedeelten die er speciaal over gaan zijn 2 Koningen 18-19 en Jesaja 36-38. In het boek Jesaja kom je meer profetieën tegen over Assyrië en Juda, omdat Jesaja leefde in de tijd waarin dit verhaal zich afspeelt. En Psalm 46 is waarschijnlijk geschreven naar aanleiding van de aanval van Sanherib op Juda.

Dank

S chrijven doe je alleen, maar bij de voorbereiding en afwerking van een boek heb je als schrijver hulp van anderen nodig. De mensen die mij hielpen bij de totstandkoming van dit boek heb ik natuurlijk al persoonlijk bedankt, maar ik wil dat hier nogmaals doen.

In Israël kreeg ik de sleutels tot de geschiedenis van Lakis in handen van professor David Ussishkin van het Instituut voor Archeologie van de Universiteit van Tel Aviv. Ussishkin leidde jarenlang de opgravingen in Lakis en gaf me waardevolle achtergrondinformatie en inzichten ter aanvulling op zijn boek over de Lakis-opgravingen en Sanheribs aanval in 701 voor Christus. Yehuda Dagan, senior archeoloog van de Israëlische Antiquiteiten Autoriteit hielp bij het leren kennen en in kaart brengen van de Sjefela zoals die er in 701 voor Christus kan hebben uitgezien. Hij kent de streek en haar geschiedenis op zijn duimpje en adviseerde me bij het bedenken van de vluchtroute van Harad en zijn groepje. Archeoloog Gabriël Barkay van de Bar-Ilan Universiteit in Jeruzalem gaf me beter inzicht in de rol die Hizkia en Jesaja in die tijd speelden.

In Nederland gaf Aukelien Wierenga van uitgeverij Columbus mij vertrouwen en richting bij het vinden van het spoor als startend jeugdboekenschrijver. Prof. dr. K.R. Veenhof, emeritus hoogleraar in de talen en geschiedenis van Assyrië en Babylonië aan de Universiteit Leiden, was zo vriendelijk het manuscript te lezen en er een rijtje onjuistheden uit te halen (als er onjuistheden zijn blijven staan moet ik die voor eigen rekening nemen). Oudtestamenticus Jaap van Dorp corrigeerde de spelling van Hebreeuwse namen en termen. Meelezers en -lezeressen Dick Altena, Jiska van

Buuren, Roni van Buuren, Leidy van Straten, Thom van Straten en Rick Oosterhoff waren zo goed om het verhaal door te lezen en suggesties ter verbetering te geven. Veel van hun opmerkingen heb ik in de eindversie verwerkt. Ten slotte bedank ik mijn vrouw Judith en onze zoons Jesse en Joab. Judith regelde mijn verblijf in Israël en nog heel wat andere zaken. Zonder haar zou het schrijven van dit boek zeer waarschijnlijk een droom zijn gebleven. Zij en de jongens toonden enthousiasme, steun en begrip voor dit – voor mij heel nieuwe – project zonder er iets voor terug te vragen. Zo zijn zij.

Bronnen

Naast een aantal artikelen en losse publicaties van het Voor-
aziatisch-Egyptisch Genootschap Ex Oriente Lux heb ik voor dit
verhaal gebruikgemaakt van onder meer de volgende schriftelijke
bronnen:

The Conquest of Lachish by Sennacherib, David Ussishkin, Tel Aviv
University, The Institute of Arechology, Tel Aviv, 1982

Archeology of the Land of the Bible Vol. II, Ephraim Stern,
Doubleday, New York, 2001

The Art of Warfare in Biblical Lands, Yigael Yadin, Weidenfeld &
Nicolson, London, 1963

The Might that was Assyria, H.W.F. Saggs, Sidgwick & Jackson,
London, 1984

Battles of the Bible, Chaim Herzog & Mordechai Gichon, Greenhill
Books, London, 2002

Everyday Life in Old Testament Times, E.W. Heaton, B.T. Batsford
Ltd., London, 1956

The Carta Bible Atlas, Yohanan Aharoni e.a., Carta, Jerusalem,
2002

Bijbelse Encyclopedie, Prof. dr. W.H. Gispen e.a. (red.), Kok,
Kampen, 1975

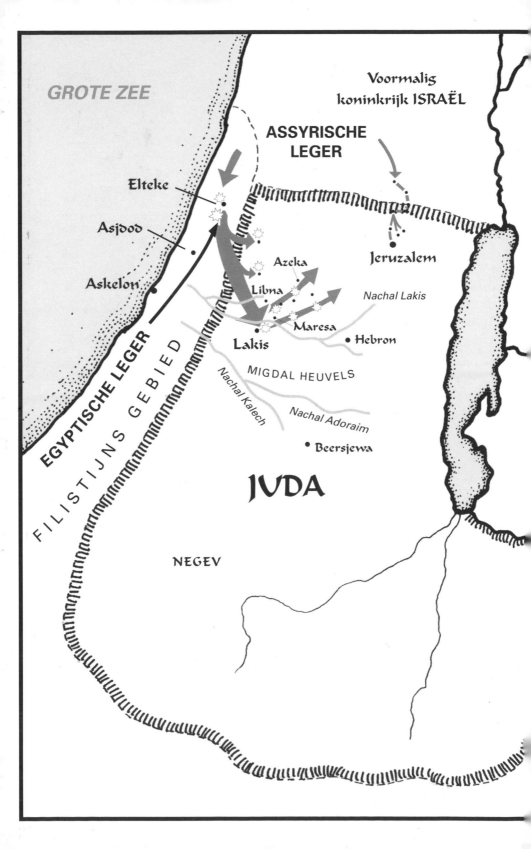

GROTE ZEE

Voormalig
koninkrijk ISRAËL

ASSYRISCHE
LEGER

Elteke

Asjdod

Askelon

Azeka

Libna

Jeruzalem

Nachal Lakis

Maresa

Lakis

Hebron

MIGDAL HEUVELS

Nachal Kalech

Nachal Adoraim

Beersjewa

JUDA

NEGEV

EGYPTISCHE LEGER

FILISTIJNS GEBIED